總策劃◇簡媜

小說人物叢書

實學社

小說人物 1

秦始皇大傳

[卷一•潛龍在田]

作　　者／李　約
總策劃／簡　嫃
主　　編／劉玲君
封面繪圖／陳　濤（秦始皇造型徵獎得獎人）
美術設計／黃清在
發行人／周浩正
出版者／實學社出版股份有限公司
台北市師大路一八九號六樓
電話：(02)369-5491　傳眞：(02)365-6840
郵撥帳號：18380289　創社日期：1994. 11. 19

排　　版／正豐電腦排版有限公司
印　　刷／鴻柏印刷事業有限公司
電話：(02)365-5808

總經銷／吳氏圖書有限公司
電話：(02)303-4150　傳眞：(02)305-0943
法律顧問／蕭雄淋律師
電話：(02)367-7575　傳眞：(02)369-2525

初版一刷／一九九五(民84)年三月一日
ISBN／957-9175-02-0(平裝)
957-9175-08-X（精裝）
定　　價／250元（平裝，一冊。）
2000元（精裝，全五卷，不分售。）

行政院新聞局局版臺業字第6433號

【小說人物1】

秦始皇大傳

李約◉著

一個出版社的夢

〈小說人物〉叢書出版緣起

歷史是文明的基石，亦是永恆智產。它既以時空爲經緯，標示一個民族自萌發而壯闊的記憶長牆，又允許現代人超越種族、國界與語系，展開多面向的研發與轉化。我們相信，歷史不是沉重之軛，它所累聚的巨大寶藏，恰能爲一個追求活化和轉型的社會帶來智識能源與視野格局。歷史如鏡，作爲一個出版者，我們願意秉持謙恭之心與雍容大度的胸襟，邀集讀者一起與我們巡視歷史，用現代的眼界與識見，觀歷代興衰之理，察亂世與治世之律，窺文明躍進之道，析人性慾求之則，更追蹤億萬生靈於他們僅有的時代何以遭逢塗炭？何以安享昇平？而這一趟尋訪，當有助於提高境界、拓展視域，藉而遠瞻我們的未來，啓動轉捩之鈕。

實學社開闢〈小說人物〉叢書，即是落實這種出版理念，鎖定歷史上具有決定性影響的人物，他們啓動了那一代的關鍵之鈕，或盤整亂世，或創發新紀，或誤觸機括、燎成惡局。無疑地，他們已成爲後世眼中震古鑠今的典型人物，其才略與智謀、格局與氣度，甚至性格特質，並未隨著時間而灰滅，在現代社會、不同的領域裡，俯拾可見這些典型人物特質的再生與分化。所謂鑑古知今，即是解碼。

〈小說人物〉叢書企圖透過現代小說家之如椽大筆，以史實爲藍圖，鋪設架構，馳騁想像，重塑其形貌與特質，用生動活躍的文采使他們所置身的那一段歷史復活，讓讀者在具有親和樂趣的閱讀中，各有斬獲。

實學社更希望〈小說人物〉叢書的經營，能引動國內更多優異作家共同營運出歷史小說類型創作的高峰，「百萬羅貫中歷史小說創作獎」的舉辦，即是我們誠懇的邀請函。作爲一個出版者，實學社願意構築一個歷史小說的大舞台，培育並等待經典的誕生。

我們相信，這個夢想會實現。

李約
（本書作者）

重新了解秦始皇

李約 V.S 簡媜

有一場大雪，落在兩千兩百五十二年前趙國首都邯鄲，酷寒的氣流封鎖街衢，行人稀疏，整個世界彷彿在暴雪的侵襲下陷入沉寂。只有一幢府第傳出脚步聲，正値舊歲新年交關的子時，一名男嬰在這個黑寒時刻降生，他即是嬴政。他的生命不獨在酷雪、黑夜與異國質子生涯中開始發聲，更恭逢連年兵燹的戰國時代大亂世。沒有人能預測，這名卑微的小嬰兒，竟是日後翻覆天地、手寫中國歷史的秦始皇。

若嬴政不出，歷史的巨輪往何處滾動？

然而，上蒼跟嬴政開了個玩笑，這位無視於天帝、自封始皇的男子，在他死後五年內，帝國灰飛煙滅。而兩千兩百多年來，屍骨早已化塵的始皇帝，以暴君、苛政的惡名永垂不朽，跟隨歷史長河奔騰而下，讓後代帝王將相對他口誅筆伐。弔詭的是，二十世紀末葉的今天，「萬里長城」成爲馳名國際的旅遊勝景，氣勢磅礴的驪山陵寢仍在「虐待」人類學家、知識分子的腦袋，而複製的秦俑戰士不僅替中國大陸造了一筆源源不絕的財富，更像一尊尊聖符進入世界各地「黔首」的家門。想想當年遺流犯徵黎民築長城造陵寢的場面，想想所謂「焚書坑儒」案件，想想遷六國十二萬戶富豪集於咸陽等大遷徙盛況，令人不禁恍惚，秦始皇龐大的幽靈是否盤坐高空，與時間共壽，仍握著另一種形式的統治權柄？

秦始皇，到底是個什麼樣的人？是以天下蒼生爲芻狗的一代暴君，還是急於實踐政治大藍圖、永絕戰亂的智慧型領袖？是嗜殺成性的猛獸，還是被巨大痛苦封鎖的孤獨靈魂？

同樣是新舊年度嬗遞的冬季，寒流吹襲台北市。在師大路「實學社」辦公室，《秦始皇大傳》作者李約先生與簡媜（實學社編輯總監）等人把

簡媜
（實學社編輯總監）

酒暢言，一則慶賀《秦始皇大傳》殺青，二來衆人拜讀這部近八十萬字小說後，不僅對秦始皇起了強烈好奇，也對李約縱橫史實、馳騁想像的功力大感佩服，急於窺探其寫作歷程。美酒數巡後，簡媜與李約先生展開一場既嚴肅又輕鬆的對談。

簡媜：您能不能先用一句話，總結秦始皇？

李約：他是個一生勞碌的傻皇帝，一輩子都在做事。

這種說法頗出人意外，在二元論斷中被定爲暴虐殘酷的秦始皇形象，早已透過歷史教科書深入一般人腦海，提及秦始皇，如見嗜血猛虎。李約語帶感慨說他是個勤政之君，恐怕很多人不能接受。

李約：很多君王不做事的，看看當時六國國君，一個比一個昏庸無能，嬴政從即秦王位到死，做了多少大事！這種人不「傻」嗎？他的暴君形象歸功於歷史上「箭靶子定理」太厲害，衆口鑠金，永無翻身。加上秦尚法治，後世儒術當道，對他的批評當然一面倒。

簡媜：這麼說，您寫《秦始皇大傳》，有翻案、平反之意？

李約：讓讀者去體會吧！我只是回到歷史現場找道理，用小說筆法鋪排，延實補虛，用現代人的眼光，重塑看得到人性軌跡的秦始皇。

簡媜：從您的作品中，可以清楚看出秦始皇的四個轉型期：第一、從誕生到十三歲即秦王位；第二、十三到二十二歲親政；第三、親政到三十九歲統一天下；第四、至五十歲逝世。雖然小說終卷寫到秦亡後，楚漢相爭揭幕，但要追索秦始皇性格、人格與政格的形塑過程，前面四個時期是重頭大戲，可以說，每十年多，其內在與外境便遭逢一次非常艱鉅的大翻轉。我個人看歷史人物，對其性格凝塑過程特別感興趣，請您先談談秦始皇的幼年時期。

李約：（沉吟，搖頭）缺乏愛，尤其父愛。他的身世極爲坎坷，八歲回秦國以前，母子二人被父親異人（又名子楚，即後來的莊襄王）丟在趙國不管。《史記》〈呂不韋傳〉提到，他的母親趙姬原是呂不韋的寵妾，已懷孕才送給當時在

性格 秦始皇幼年時期必定承受難以泯滅的心靈傷害，性格中孤獨、冷僻、易走極端、苛刻寡恩的種子已被挑起，這些因子，在獨裁者的血液裡都可以找到。

趙國當人質的異人，隨後生下嬴政。從這個角度看，這孩子連生父是誰都不知道。呂不韋與異人在戰國亂世連手進行兩人之間的政治買賣，趙姬與嬴政母子二人是犧牲品。因此，嬴政八歲以前在趙國過的宛如「棄子」生涯，也遭到羞辱、欺侮。從後來滅六國期間，大將王翦攻打趙國，陷邯鄲、擒趙王，嬴政親自到邯鄲——這是他幼年離開趙國後第一次回去，下令誅殺所有跟母親趙姬有仇的人，這時他已三十多歲，距八歲離開邯鄲有二十多年了，還仇深恨極。我們從這些蛛絲馬跡可以援證，他幼年時期必定承受難以泯滅的心靈傷害，性格中孤獨、冷僻、易走極端、苛刻寡恩的種子已被挑起，這些因子，在獨裁者的血液裡都可以找到。

這一段身世的確不尋常，或可解釋他超人生命力的由來。

簡媜：父綱母倫的問題，似乎是他的夢魘。

李約：這是他長期的痛苦。嬴政即秦王位才十三歲，呂不韋是「仲父」，名爲丞相，實乃掌權。當時六國雖漸露弱態，但以一秦之力，仍無把握拿下趙、齊、楚等超級大國。從即位到親政的這段時期是嬴政的帝王培訓期；外有外憂，內又在身邊不斷上演宮幃問題，先是呂不韋與趙姬偷情，後又是嫪毒之亂，等於是母親養情夫，甚至欲置他於死地。逼他不得不疾如雷電，一次解決亂源，手段是殘酷的。

簡媜：連功高冠秦的呂不韋也在「清除」之列。

李約：不得不然，呂不韋像一棵百年老樹，盤根錯結，深入秦國各階層，官商網絡全在他的掌控中。呂不韋不除，嬴政的統治權無法貫徹。所以，呂不韋一死，凡是爲他弔喪的門客——等於是呂不韋集團，一律驅逐出境，其財產悉數沒收，這兩項是必然結局。

簡媜：在您筆下，呂不韋與嬴政之間的父子曖昧關係，非常具有戲劇張力。尤其，呂不韋服毒前的心理活動，整個氛圍令人動容。

李約：這是一場悲劇，連算盡人意的呂不韋也算不到自己會走到這一步。秦始皇是個悲劇人物，呂不韋何嘗不是？我寫歷史小說，不是只寫「成王敗寇」，也寫同一舞台上，人與人在複雜的權力鬥爭迷宮中的無奈與悲哀。呂不韋服毒，因爲他知道自己不得不死，他知道做父

政績

秦始皇在十餘年間，一統天下。這在當時，是一張超越同代的政治大藍圖，史無前例。可以說，秦始皇開創了皇朝模型，沒有他，恐無往後兩千多年帝制。

親的不能跟兒子爭。

簡媜：所以，嬴政遲至二十二歲才行加冠禮，放在您所說的權力鬥爭架構下，也得到合理解釋了。另外，有幾個人物的虛構色彩非常濃，譬如：幼年時期識得的中隱老人，與嬴政鶼鰈情深的皇后，及王弟長安君成蟜。中隱老人完全是虛擬，皇后史書不載，成蟜則只載叛變。在您的小說中，這三人固然與「帝政大業」無關，但在嬴政「屬人」的生活層面，卻如春風甘霖，爲什麼做這種安排？

李約：這部份就是小說家讓歷史人物血肉復生的活動了。我寫歷史小說，秉持「五度空間」的寫作規則。第五度空間，即是不受史實管轄，馳騁想像的小說空間。秦始皇是人，人有多重變貌，不宜從他某部分因統治之需而壯大的性格，便一口咬定是「絕對的惡」，他應像一般人一樣，有渴慕溫暖、眞情流淌的部分。中隱老人，是亦師亦父的親倫補償，皇后是愛情共鳴，成蟜則是手足之情的無邪流露。這三人，可以視作嬴政心中三種情感的呈現，與做爲獨裁者的那部分性格，既對立又共生。

簡媜：談談秦始皇的政績吧！

李約：從秦孝公變法到莊襄王時呂不韋輔秦，秦國已成爲不容忽視的強國，悍將、良才備出，百萬雄軍之威，近乎全民皆是可用之兵。雖然軍備較諸他國不算精良，但戰鬥意志高昂。嬴政親政後，一方面採李斯謀略，離間各國，挑動其內部政爭；再則，大將桓齮、王翦、楊端和、王賁、李信、蒙武、蒙恬等逐一對六國做殲滅式攻擊。十餘年間，一統天下。這在當時，是一張超越同代的政治大藍圖，史無前例。可以說，秦始皇開創了皇朝模型，沒有他，恐無往後兩千多年帝制。他稱帝後，各項政令均是爲了貫徹「一個完整帝國」的統治意志，消弭六國殘餘。統一文字、度量衡，廢封建、立三十六郡縣，修建以首都咸陽爲輻輳抵達各郡的快速大道，興水利、築長城、移民開土……，從政治架構到各項建設，無一不是劃時代的大工程，非常了不起的。

簡媜：「焚書坑儒」事件呢？

李約：焚書爲了統一思想，就帝國統治而言，不得不然。坑儒，其實是針對那些欺騙他、攻訐他的人，約四百六十人，跟戰場上動輒坑殺數萬、數十萬人的規模比起來誠屬小事。亂

接班人

就做父親的偏愛心理而言，傳給哪個兒子確是兩難，加上秦始皇對自己的生命太有信心，這事能拖就拖了。不過，真到節骨眼，他還是會交給扶蘇的。

世混戰，坑殺敵兵，也不僅秦國如此，各國皆然。我們不要忘記，滅六國後，秦始皇面對的是從來沒有人有統治經驗的大世局，他能架設帝國宏構，這是高難度政治智慧，是超越當時所有人的政治天才。不客氣地講，當時六國君王，哪一個能跟嬴政比？後來，劉邦攻進咸陽，蕭何立刻衝入宰相府，收集山川地圖、人民戶籍檔案，由此可見，秦始皇的經營已具規模。史載他每日批公文一百二十斤，其勤政精神可見一斑。可惜性子太急，積怨於民，秦國人民習於法治，但其他六國人民各有傳統包袱，不見得能脫胎換骨。而且，始皇也死得太早了。

秦始皇死於出巡途中，表面上看是出巡、立碑頌德（有凝聚權威之效，見碑如見龍顏），以今日眼光看，應是大規模視察之行。史載，他稱帝後不斷出巡，實非單純好大喜功之舉。

簡媜：有沒有辦法找出大秦經營藍圖？

李約：這得問項羽了，他一進咸陽，屠城、焚殿，大火三個月不滅，什麼檔案都成灰了吧！不過，我揣測蕭何得了不少機密檔案，這倒便宜了劉邦。等現代人把始皇陵寢挖清楚了，說不定可以拼出大秦經營圖。始皇這個人的性格帶一種永恒意志，花那麼大功夫造陵寢，等於是給後世留一份影印本。

簡媜：如果繼位者是扶蘇而不是胡亥，或許不會覆滅得那麼快。從後來陳勝、吳廣起兵，祭出扶蘇之名助威，可見當時百姓對他是愛戴的。以秦始皇之雄才大略，怎麼會在生前不立太子？

「接班人」頓時成為討論焦點，有人更舉出企業界經營者為解決接班人問題耗費心力的例子，何以始皇不察？

李約：始皇把扶蘇派到上郡擔任蒙恬軍的監軍，一來，他的確不怎麼喜歡這個兒子，扶蘇對始皇嚴苛的統治手法是有意見的；他私心寵愛胡亥，但也很清楚胡亥無能，所以遲遲不立太子，這是統治者的莫測定律。但另一方面，我認為外放扶蘇是有培訓之意，尤其交給他所信任的蒙恬，目的要扶蘇接受軍事洗禮、立戰功。就做父親的偏愛心理而言，傳給哪個兒子確是兩難，加上秦始皇對自己的生命太有信心，這事能拖就拖了。不過，真到節骨眼，他

密謀

丞相李斯是關鍵。如果他不點頭，憑趙高有什麼通天本領做假詔？我們假設，當趙高遊說李斯密謀時，李斯明快果斷斬了趙高，往下的歷史就得改寫。

還是會交給扶蘇的，始皇嚥氣前傳旨命扶蘇回咸陽，是有傳位之意，壞就壞在聖旨被調包了。

簡媜：歷來都說趙高是個關鍵，您認為呢？

李約：我的看法不同，丞相李斯才是關鍵。如果他不點頭，憑趙高有什麼通天本領做假詔？我們假設，當趙高遊說李斯密謀時，李斯明快果斷斬了趙高，往下的歷史就得改寫。

簡媜：李斯參與密謀，顯出格局了。

李約：一點也不錯，他要保住丞相尊位。如果扶蘇繼位，蒙氏兄弟一定被重用，哪裡還有他的位置？他怕的就是這個。為確保自己的既得利益而罔顧大局，不獨古人如此，今人亦是。

簡媜：說不定他以為胡亥繼位，由他繼續擔任丞相，能完成始皇建設大秦的遺志。

李約：誰也無法替他申辯，參與密謀是基於使命還是戀棧？我們只知道他押了一局全盤皆輸的賭注。

簡媜：真要推算關鍵，還是在秦始皇身上吧！

李約：也可以這麼說，獨裁者的內心仍有脆弱之處，他害怕面對死亡，恐懼一個人孤單地死去！

簡媜：寫完《秦始皇大傳》後，您的下一步寫作計劃呢？

李約：《項羽大傳》，他是另一個令人無限慨嘆的悲劇英雄；接著是《曹操大傳》，藉由他重現三國大亂世。

簡媜：聽起來是個艱鉅的大工程，依史序選定關鍵型人物顯影歷史，氣魄很大。

我們對您有信心，您以清教徒精神寫《秦始皇大傳》，原先已成稿三十萬字，自覺不夠精彩，毀掉重來。每天不出門，關在家裡像上班一樣寫八至十小時，不達標準絕不休息，這種自律精神，讓我想到秦始皇，每天批一百二十斤公文。（眾人大笑）

酒盡茶淡，冬夜與知交談史，自是痛快淋漓。從實學社辦公室往外望，燈光川流，彷彿可以遙見大秦帝國的黑夜一片荒寂，而項羽，正揮動大軍，奔赴咸陽。

（賈玠／整理）

自序

李幻

寫這部《秦始皇大傳》，或者是再寫其他歷史人物，作者是根據「三個理念」和「一個作法」。

第一個理念是，希望藉由歷史小說來挖掘歷史寶藏。

歷史是人類的記憶，喪失記憶的人是悲哀的，一個國家或民族不記得或否認自己的歷史，則更爲可憐。

中國有五千年歷史，在現存國家或民族中，乃是最悠久的歷史之一。這些歷史乃是先人生活在這塊土地上流血流汗的發展紀錄，內容則充滿了先人智慧和經驗的結晶，值得我們這些後人珍惜、保存和運用。

第二個理念是，希望藉由歷史小說來擴大歷史的接觸層面。

中國古代歷史由於當時書寫工具的簡陋，文字與語言不能密切結合，而且隨著時代的變遷，語言因各種民族的融合、文物制度的變遷，轉變很大，但歷史學者爲文一直仿古，文學與語言間隔距離越拉越遠。尤其是白話文興起以後，古文幾乎和古拉丁文一樣，未經過專業訓練的人，根本無法看懂這些用文言寫成的歷史。換句話說，也就是一般人根本無法接觸到所謂的正史。

現有的歷史教科書，只是爲了應付升學考試之用，內容之枯燥乏味和簡陋，讀後不忘記幾乎是不可能的事。歷史學家關在象牙塔中研究寫出來的作品，也只能供某個小圈子裡的人研究運用，歷史與大眾幾乎完全脫了節。

小說則是深入大眾各個層面的文學，藉由歷史和小說的結合，對全民大眾可以產生深遠的影響。譬如，一般人心目中的諸葛亮、曹操、劉備、關羽等人，並不是正史《三國誌》上的這些人，而是歷史小說上所描繪的形象，由此就可以證明歷史對一般大眾的影響，遠不及歷史小說來得大而深。

第三個理念則是，希望藉由歷史小說，將古人的智慧和經驗運用，反映在現實生活中。

有人說，歷史的軌跡不斷重複，實際上是無論多少年來，人性從來就沒有太大的改變，只是以不同的面貌出現而已。古人所犯的錯誤，今人一樣照犯，古時監獄關的囚犯，不外乎因酒、色、財、氣而犯罪，今天的監獄裡仍然囚禁著這類的人。也許多了一些毒品犯，那只是因爲當時還未發明這些毒品，實際上嗜毒的本質和酗酒、耽迷於女色相近，只是耽迷的東西不一樣而已。

其他大自軍國大事，小至個人處世交友之道，都可作如是觀。

2

鑒往可以知來，多知道一點歷史上的覆轍，我們也許會變得聰明一點。反過來，就正面的意義來說，我們也可以將古人成功的經驗，大自國家的興盛，小至個人在事業或做人的成功要訣，運用在現實生活裡。

但是，無論是用古文寫的正史，或是用現代文寫的歷史教科書，多半讀來枯燥無味，很少人會將歷史書用來消遣和陶冶性情的。這使作者不能不懷念高中時期一位老師。

他教歷史，先是自發講義，將一切要考試的重點有系統的列出來，要我們自己看，然後在上課時，就跟說書一樣，將那段歷史的情節和人物，活靈活現的描述出來。

結果是，我們那個班的歷史成績，不但是全校最高的，而且那兩節歷史課變成我們每週盼望的快樂時光，連中間十分鐘休息，老師要方便，我們都不准他走。老師香煙癮極大，全班通過，不但准許老師上課抽煙，而且泡最好的茶招待他。

當時作者就在想，講歷史講得好，就應該和說書一樣。這也許是多年後，作者想到寫歷史小說的動機之一。所謂學之不如好之，好之不如樂之，任何學問扳起面孔說教，效果就大打折扣，要是純粹爲了考試，那更是等而下之，包你考過試就忘記。有趣的小說，應該是大部份人喜歡看而又不容易忘記的。

3

因此，作者寫本書的一個作法，也是由這個觀點上出發。

作者有個粗淺的看法：歷史學家寫歷史，講求客觀和證據，雖然嚴格說來，歷史也是由各種史料湊集而成，其中仍然摻雜著許多主觀成份。所以有人說，盡信史不如無史。但歷史基本上是嚴肅的、有一分證據說一分話的。

而小說則是全憑主觀想像，天馬行空，有時純屬虛構，游談無根，但這也是小說最引人入勝的特點，沒有主觀和想像，小說就不成其爲小說了。

那麼歷史小說作者，要如何將一個極端要求客觀證據的歷史，和極端要求主觀及想像的小說融合成一體？既要文學上的「眞實」和「有趣」，也不能全然違背和抹殺掉歷史上的「事實」，這是歷史小說作者面臨的一個兩難問題。

因此，作者杜撰了一個「五度空間」的名詞。以作者筆下這個命題而言，作者妄加定義爲：「三度空間」等於某個斷片的事實現場，時間加「三度空間」等於歷史，即「四度空間」；而「五度空間」則是「四度空間」的歷史再加「想像」，等於歷史小說。

因為在同一個時空中，人的觀點不同，想像各異，所見到的事實必然不同。在理論上，三度空間是固定的有限的點，四度空間是有限的線，而「五度空間」則是在一個固定的時空中，產生無限的效果。

譬如說，在司馬遷的《史記》的〈秦始皇本紀〉中，有關秦始皇王弟長安君成蟜反叛的事實，只有不到七十個字的幾句話，但在《秦始皇大傳》中，作者就以「五度空間」的寫法，用推理和想像，演繹成兩萬多字的情節，當然比原來幾十個字有趣多了。

但作者卻沒有違背《史記》的史實（嚴格說來，《史記》也是司馬遷廣遊各地，博采父老之言而成，不見得完全是事實），這是寫作本書時，作者所遵守的基本作法，其他各部份情節，也大都是採用這種方法寫成。

作者有一個譬喻，用來形容「歷史學家」與「歷史小說作者」之間的關係——歷史有如恐龍，歷史學家各處尋找化石，再以科學方法拼湊出一條完整的恐龍骨骼來；而歷史小說作者則用推理為牠添上血肉，再用想像的靈氣，讓牠成為眼前活生生的恐龍！

當然，能否讓歷史學家筆下的恐龍骨骼，有血肉，有生氣，那全靠歷史小說作者自己的本事，弄不好，恐怕連原有的完整骨骼都打散了，會變成一條龍不龍，蛇不蛇，死不死，活不活的怪物。

《秦始皇大傳》是活龍或是死蛇，作者虛心的等候方家和讀者指教。作者學養不夠，膽敢嘗試這樣浩大繁難的工程，只是憑著一股想爲歷史大眾化努力的傻勁。至於爲什麼要寫這部《秦始皇大傳》，作者在此不作回答，讓本書自己說話！

4

最後，作者在這裡要感謝兩千多年前的《史記》作者司馬遷先生，沒有他的《史記》，當然不會有這部近八十萬字的《秦始皇大傳》。

另外，作者也要感謝我所參考的五十多本書的作者，例如，沒有清人童世亨先生的《歷代疆域形勢圖》，眞不知道描述戰爭要如何「紙上談兵」，沒有宋人陳傅良先生的《歷代兵制》，但憑《史記》上一點資料是不夠的。

其餘就不及備述了。

其實，眼前最應該感謝的是「實學社」的周浩正先生和簡媜小姐，沒有他們的魄力，這部書想和讀者見面，恐怕不太容易。

名作家郭泰先生的鼓勵，以及「實學社」同仁——劉玲君與丁希如兩位主編——爲這部書所付出的辛勞，作者也在此一併謝過。

一九九四年除夕於台北板橋

1 潛龍在田之卷

秦始皇大傳

【總目錄】

2 龍戰於野之卷

3 龍騰四海之卷

4 飛龍在天之卷

5 亢龍有悔之卷

秦始皇大傳〔1〕

潛龍在田之卷

第1章

落魄王孫

1

天寒地凍，時近黃昏。

邯鄲城內人家，燈火次第亮起，將滿天的雲靄襯托得格外沉重。

地上積雲盈尺，但天上仍然在下著，鵝毛似的飄灑，似乎越下越大。

這處趙國首都，平時是大街小巷，往來行人如織，真個是舉袖成雲，揮汗如雨，而如今卻是路人稀少，全躲在屋內烤火取煖去了。只有一些無家可歸的流浪漢和野狗，畏縮在牆角屋簷下面，全身顫抖的強忍腹中的飢餓。

按照以往每年的經驗，明天又會出現多具凍僵的屍體，人比狗多。

高牆裡面，亭台樓榭，室內如春，隔著燈光輝煌的窗戶，傳出陣陣的絲竹樂聲，對富貴人家來說，聲色當前，把酒賞雪，乃是件極盡耳目之歡的樂事。

凜冽刺骨的北風，刮起地面的雪，混合在天空下著的雪，將整個邯鄲城變得白茫茫一片。

在大風雪籠罩的北門正街上，一輛單馬拖著的安車，頂著風艱難的前行。拖車的是一匹老瘦的五花馬，渾身冒著熱汗，偶爾仰首長嘶，吐出一團團白氣。

駕車的是一個不到三十歲的精壯漢子，身穿一件黑色老羊皮袍，頭臉都緊密包著，只露出一對眼睛，他不斷揮動鞭子，大聲吆喝著馬，頗有駕著駟馬高車的架勢。

窄小的車廂裡，端坐著這位在趙國當人質的秦國王孫異人，他雖然今年只有廿出頭，但英俊的臉上卻佈滿了飽經風塵的人才有的那股厭倦和憔悴，他正陷入了沉思。

他在想著今晚赴宴，卻送不起貴重禮物，會被各國同樣在趙國當質子的王孫公子所取笑。

今晚是趙國大富商呂不韋的生日，他廣撒請帖，所請的客人包括了趙國所有政要、學者名流、富商巨紳，還有各國的外交使節。當然各國質子是外交使節中最主要最尊貴的客人。

表面上，各國在結盟時，爲了表示剖心置腹，互派質子，地位非常尊榮。實際上，質子就是人質，國與國之間一旦翻臉，質子是首先遭殃的對象。何況是各國之間，翻臉和翻書一樣，今天才歃血爲盟，說不定明天就已兵臨城下。

尤其趙國一向爲抗秦聯盟合縱之約的約長，他在這裡作質子，等於是隨時有把刀架在脖子上，兩國有所風吹草動，首先用來開刀祭旗，或是收爲階下囚的，就會是他這個質子。

在有些國家當質子情況並不壞，特別是強國爲了示好懷柔，派在弱國的質子。弱國的國君要巴結他，將他待爲上賓，全國上下臣民對他似乎也懷著感恩的心情，所到處，他遇到的都是一些友善熱情的面孔。

秦國是強國，而且是現存燕、趙、韓、魏、齊、楚、秦七國中最強的國家，但由於近年來六國聯合的結果，他每到一個國家，看到的都是充滿悲憤的臉孔。很多人見他來，更是老遠就躲開，連同樣在趙當質子的其他國家的王孫公子，對他也都是內心疑懼，外表冷漠，如今趙秦數十萬大軍在長平對峙，戰爭隨時一觸即發，他這個質子更是難當。

他在這裡沒有朋友，雖然他是強國派來的質子。另外，他比哪個在趙各國的質子都窮，就是別人不排斥他，他也無法參加他們之間的交際活動。

本來，各國國君對派在與國或敵國的質子，部份是為了要面子，部份是為了對他內心的歉意，在經濟供應上是儘量優厚的，當質子的人可說都有花不完的錢。

但他不一樣，第一，他是王孫，不是公子，他祖父秦昭王在位，父親安國君只是太子，這中間隔了一層，他祖父根本想不起他這個人。第二，安國君的姬妾一大堆，兒女更是成群，他親生母夏姬甚不得寵，經年都見不到安國君一面，所以他不但是庶出孽孫，而且是個不受喜愛的孽子，祖父和父親心中壓根就沒有他這個人。

上輕下慢，連帶主事的臣子也看不起他，應有的公費都一拖再拖，很少按時送到，更別說用來結交應酬的額外花費了。

因此，他在這裡是孤單寂寞的，不但沒有知己之交，連酒肉朋友也沒有一個。上個月連由齊國跟來的齊姬也下堂求去。

正在他想著這些的時候，忽然聽到車後一陣馬嘶聲，接著是有人在大聲叫罵：

「前面他娘的什麼車，像烏龜一樣爬不動，還他娘的擋在路當中！」

異人打開後車簾往後一看，只見車後是一輛高軒大車，由四匹白色駿馬拉著，怒吼的御者緊拉著轡繩，硬生生的將馬拉住。

此時，後面車輿的前簾掀起，露出一張年輕而長相嚴肅的臉。異人認出是在趙的燕國質子姬喜，他同時也是燕國的嫡世子，也就是王位第二順位繼承人。

「異人公子，是您，」世子喜拱拱手：「去參加呂不韋的生日宴會？」

「正是，想必世子您也是？」異人也回拱了拱手。

燕國和秦國之間隔著趙魏，和秦國很少直接衝突，世子喜雖然很少和他交往，但看不出明顯的敵意。

他轉身向御車的趙升大聲喊著：

「讓開路中央，後面的車好走！」他又回過身來向世子喜拱拱手說：「世子車快，請先走。」

「姬喜怎麼敢，還是公子先行，姬喜慢慢跟上。」世子喜拱手謙讓。

那邊不知道是因爲風大，聽不清他的話，還是因爲滿腹怨氣，趙升將車更駕上路中央，而且走得更慢。

後面的車馬越來越多，很多都是宗室大臣的乘車，想超越，無法過去，再一打聽最前面的單馬小車，乃是秦王孫的座車，而燕太子的座車跟在後面緩緩而行，也都不敢造次，只有耐著性子跟在後面慢慢走。

騎馬的人本來可以超越過去，但宗室大臣的車都跟在後面，他們也只有跟著行列走。逐漸邯鄲北門大街擠滿了車馬，再加上不明就裡的民眾好奇的圍觀，異人的安車一車當先，頗有帝王出巡的壯觀。

最後，趙升似乎對這種情形還不滿意，他乾脆停下車子，向異人稟告說：

「啓稟公子，車軸潤滑不夠，需要上點油。」

異人心知他在搗鬼，但不想說什麼。他回首看看跟在車後的車馬，心裡有著種欣慰。不管怎樣，秦國是天下之最強，而他是秦國派在戰敗國趙國的代表，你們恨我也好，輕視我窮也好，你們卻不能不對我畏懼，因爲我此時此地是代表秦國。

不知什麼時候，燕世子喜已站在他小車外面，他的御者正幫著趙升在車軸上加油。

「我能上來坐坐嗎？」世子喜行禮問。

他明白世子喜刻意要和他結交，世子喜三個月前才到趙國，他是在世子喜初到時，各國質子爲歡迎他舉行的宴會上見過一面，只交談了幾句話，但他喜歡他那股嚴肅中帶著敦厚的氣質，雖然目前同樣是質子，但他很快將成爲燕國國君，而他雖然是強國的代表，卻永遠沒有成爲國君的希望，以將來而言，他能結交他，算得上是高攀。他語帶譏誚的說：

「不嫌車內窄小的話，當然歡迎。」

世子喜笑了，他開朗的說：

「車雖小，卻是第一部車，姬喜願隨驥尾。」

2

他們上了車，趙升揮動鞭子，單馬小安車開始緩緩走動，後面的車馬也跟著移動，整條北門大街，流動著車水馬龍，再加上看熱鬧的民眾，圍在兩旁七嘴八舌的評論，哪部車內坐的是誰？哪部車最豪華美麗？人聲、車馬聲的喧嘩，使人忘了剛才還是行人稀少的冷落景象。

安車雖小，但更溫暖。

剛上車時，兩人相對，很久沒有說一句話，他們沒有說寒喧之類的客套話，因爲都是年輕人，不習慣那種虛僞。

他們在黑暗中互相凝視，似乎一下就看透了對方的內心。

「秦燕不是敵國，說起來我們還應該算是表兄弟！」世子喜突然冒出這句話來，顯然在這段沉默時間裡，他已想了很多事。

「哦？」異人一時會不過意來。

在這段時間，他只在想一件事，爲什麼世子喜似乎是立意要和他結交，不惜移樽就教，坐上他的單馬安車。

「你應該記得秦惠王公主嫁給燕易王的事，」世子喜又加上這麼一句：「我們都是她的嫡系子孫。」

異人當然知道秦公主下嫁當時還是太子的燕易王的故事。這是秦國「遠交近攻」的策略之一，但收效似乎很小，雖然這幾代的燕王都是她的後代，燕國卻始終站在合縱的陣容裡和秦國作對。可見婚姻血緣雖然親密，但一遇到政治權力，就像遇到烈火的冰雪，片刻之間就消失無蹤。

「的確，我們應該算是表兄弟。」異人順口答應。

「那我們應該彼此照應。」世子喜誠懇的說。

「尤其在這個做人質的異國，」異人亦懇切的說：「我在這裡沒有朋友，同樣是做客的各國質子，似乎也都排斥我。」

「也不是純粹排斥，」世子喜笑了笑說：「公子有時候亦應該和我一樣，主動和別人結交，秦國是天下至強，像我這樣主動來結交公子，有的人是會怕被別人誤會的。」

「世子就不怕別人誤會？」

「我們是表兄弟啊！再說燕秦也沒有直接利害關係，」世子喜又笑了，這次笑得十分爽朗：「只是別人也許還是要說我在高攀。」

「是我高攀。」異人忍不住說出內心的話。

「公子高攀我？」世子喜不解的問。

「是啊，世子不久就會成為燕國的國君，而我……」

「公子怎麼知道你將來不會成為秦國的國君，而且以秦國歷代國君的雄心看來，也許你會成為天下霸主！」世子喜說到這裡，似乎發覺到自己失言，又觸及到敏感的政治問題，他就此打住。

而異人則是不知道該如何表達才好，車內的氣氛顯得很僵。

為了打破沉寂，異人試著轉變話題：

「呂不韋下請帖給我，其實我連聽都未聽說過這個人，他到底是何許人也？」

「公子的確是和外界太隔閡了，」世子喜嘆了口氣說：「提起此人，在趙國商界和社交界都是大大有名，他是陽翟人，以販賣海鹽起家，如今生意遍佈天下，貨殖範圍除在齊國的鹽田鐵礦外，還兼營巴蜀和楚國的木料、藥材，以及趙、魏的大宗糧食生意，控制著趙國糧食市場和大批田地，趙王凡事都還要聽他三分意見。」

「這樣一個重要人物我都不知道，眞的是太孤陋寡聞了，」異人隨著也嘆了口氣：「但是，一個商人在趙國眞的有這樣大的影響力麼？」

「這點公子就不懂了，不過也難怪，山東諸國的國情和貴國完全不一樣，」世子喜搖搖頭說：「貴國是以軍功封爵，以斬敵人首級數計算軍功，商爲四民之末，而中原的趙、齊等國卻是靠著貨殖強國，商人當然地位重要。」

「的確如此，」異人點了點頭說：「敝國自從商君變法以後，即使是宗室人員，沒有軍功也不得入籍宗室。斬敵首一具則得爵一級，而衣冠服飾、田園住宅、僕妾數目，全都按照爵位的高低分得清清楚楚，商人忙著逐什一之利，當然不能參加作戰，沒有爵位，有錢也不能任意穿著吃用，何況經商失敗，以致貧困無以爲生的，妻子都有收爲宮奴的危險。因此在敝國，大都平時努力於耕織，戰時人人爭相殺敵，以獲取軍功爵位。經商的人少，當然更出不了像呂不韋這樣的大商人。」

「這也許是貴國軍隊驍勇善戰，力圖向外發展的主要原因。」

他的話未說完，異人就接下去說：

「但連年征戰，苦了天下百姓，也苦了秦國軍民。」

世子喜想不到他會說出這種話，在黑暗中不解的注視著他。

「希望世子將來做了國君以後，能爲天下和平努力。」異人又加上一句。

「爲什麼不說你自己？燕國地偏國小，不受諸大國——尤其是齊趙——的欺凌就夠了，還有什麼力量來過問天下事？秦國可不一樣，它的一舉一動都關係著天下的動亂和太平。」

「但我沒有希望主政。」異人沮喪的說。

「公子是王孫，總是有希望的，再說在趙國的各國質子，大多數是各國太子或是父王喜愛的公子，因爲趙國首都邯鄲爲最繁華的都邑，生活舒適，好玩的地方多，大家要當質子，都願選擇這裡。」

「我的情形正好相反，秦趙之間，連年交戰，趙人對秦留下太多的仇恨，我住在這裡，滿眼都是敵人。」

「貴國的將軍們有時做得也太過份，常坑殺降卒和平民，爲的是要首級立功。」世子喜嘆口氣說：「這樣容易招致怨恨。」

「只是苦了我，在這裡交不到一個知心朋友！」異人也深深的嘆了一口氣：「剛得到被派到趙國來的消息時，我就在心中盤算，如何安撫趙國上下，讓他們淡化掉對秦國的仇恨，其中包括結交各國在趙國的質子，等他們將來一旦主政時，以我們今日結交的感情，共謀諸國間的和平。就我的處境而言，這都只是一點希望，因爲我自計將來沒有主政的可能，但千萬都未想到，眾人對秦的仇恨和猜忌是如此之深，再加上我本身的處境不好，根本就談不上交遊。」

「公子的處境我倒是明白的，」世子喜有所會意的笑了笑：「這個問題簡單。結交各國質子，爲未來天下謀和平，我更贊成。」

「你明白我的處境？」異人驚奇的問。

「單馬安車，以你在秦國的身份，不用問也就明白了。」

異人一時語塞，談話也就此停止下來。

車外風雪依舊，天已全黑，車內變得漆黑一片，趙升撩開前車簾，問是否要點上車廂中的燈。

「不用了。」異人淡淡的說，他的心情突然變得煩躁起來，他有點後悔來參加呂不韋的宴會，眾人對他充滿敵意和排拒，而他本身又顯得如此寒酸。他原以爲呂不韋是個普通商人，也許因為是在秦國有點買賣，所以請了他赴宴，想不到他竟是這樣一個富可敵國的重要人物，又請了這多各國的質子和趙國政要。

車轉彎行向東門，風勢小了很多，他捲起車廂前簾，車內立刻充滿了雪天特有的那股清新，他探首回望，只見後面的車子都已亮上燈，像條火龍似的隨著他的車子緩緩擺動。

「快到了，那邊就是呂不韋的府第。」世子喜說。

離東門城門不遠的地方，一片黑壓壓的建築，無數的燈籠和燭光閃耀，遠看似乎是在和天上的繁星爭光。

雪不知什麼時候停了。

3

呂不韋宏偉的巨宅，佔了幾乎半條東正街，庭院星羅棋布，亭台樓榭爭奇鬥巧，僮僕婢女有數百人之多。

在異人車子抵達時，門前早已擠滿了車馬，人聲沸騰，有如鬧市，忙碌的人們進進出出，和周圍的寒冷死寂相比，形成另一個世界。

整個大宅院到處張燈結綵，進門處更是搭了一座數丈高的大牌樓，顯得氣勢雄偉。

異人和世子喜下得車來，早有迎賓上來接待，得知是秦國王孫和燕國世子後，趕快帶向大廳。

絲竹樂隊吹彈出悠揚的迎賓曲，呂不韋也親自到大廳門前迎接。呂不韋不斷上下打量著異人，眼中露出異彩，反而將世子喜冷落在一邊。迎著呂不韋逼視的目光，異人不自禁的想起身上的狐裘早已顯得陳舊，忍不住低了低頭。

他也打量了一下呂不韋。今天是他卅五歲的壽辰，但似乎是因保養得法，顯得比實際年齡要年輕，白裡透紅的臉，帶著幾分俊秀，雖然留著三綹清鬚，但還看得出年輕時是個美男子。

他身穿一件白狐裘袍，頭戴黑色貂皮暖帽，飄逸瀟灑，有如玉樹臨風，與異人想像中的大腹賈形象，一點都沾不上邊，他不像商人，反而像一介儒生。

異人和世子喜要行禮拜壽，呂不韋連忙阻止，口裡連聲說道：

「小人賤辰，本不敢勞動世子和公子玉趾，只是想藉此機會瞻仰一下世子和公子玉顏，並歡聚一下，裡面請！」

賓主分往東西階而上，異人要讓世子喜前行，世子喜說什麼都不肯，最後是兩人攜手而行。

呂不韋將他們引進一間精緻小客廳，只見廳內設有八個席位，分成東西向，中間沒有主位，這是呂不韋表示不敢僭越，因爲這處小廳的客人包括趙國太子和其他六國質子，他只能在主人席末位相陪。

小客廳和外面大客廳相連，不過要登階而上，而將前面的錦繡帷幕一拉，則完全隔絕。

小廳佈置精巧，周圍都是各種姿態的玉石美女雕像，手中執著小兒手臂粗的蠟燭，將室內照亮得和白晝一樣，四壁都嵌著多寶格，上面各色各樣的珍奇珠寶，在燭光下晶瑩奪目，閃閃發亮。

今晚來向呂不韋拜壽的客人可分爲三等：第一等的是趙國太子和六國質子，雖然趙王未親自駕臨，卻要太子帶了賀書來。這少數頂尖貴賓是在小客廳內招待。

第二等的客人大約有五、六十位，其中有朝中文武大臣，也有各國駐趙國使節和有大生意來往的商人。這批貴客是在大客廳中招待。

大客廳設有壽堂，壽桌上堆滿賓客們送來的壽禮。

席位是成圓形擺設，中庭有絲竹樂隊演奏，歌舞雜技正在進行。

第三等是一般客人，其中有很多是不請自來，他們送了厚禮，可能只能遠遠看著呂不韋拱拱手，連寒暄一下都沒有機會。這種客人數目逾千，分別在好幾處大廳設筵款待，當然也有歌舞及鬥技等助興節目招待。

至於這些客人帶來的僕從，也由下人分別供給食酒和休息之處。數千人的宴會，處理得井井有條，異人看了，不覺暗暗在心中佩服，呂不韋不但有經商才能，在御眾的事上，更顯出超人的本領。

呂不韋在門客的擁衛下，先到第三等客人各設筵處，敬了一杯酒，接受了無數聲恭賀歡呼，接著又到大廳內一一敬酒，接受寒暄道賀。這時他已飲下數十杯酒，可是臉色反而由紅轉青，一根由眉心直通額上髮際、平時看不太出的青筋，此時微微凸起，不斷跳動。

最後他獨自回到小客廳，要兩名俏麗婢女將帷幕拉上，厚厚的錦繡帷幕緩緩向中間相合，將外面的嘈雜和歌舞絲竹樂聲全關在帷幕外。

異人和其他公子不自覺的視線都射向帷幕外，似乎有點可惜看不到大廳內的精彩節目。

「各位公子，」呂不韋笑著說道：「外面的粗俗音樂，庸脂俗粉，不配各位欣賞，爲了表示對各位公子的敬意，不韋將把最好的呈獻出來。」

果然，八個席位，分由十六名絕色美女侍候，斟酒佈菜，剔刺去骨，莫不伺候周到，體貼入微。更難得的是，十六名美女高矮纖肥幾乎完全相似，看得出是精挑細選，刻意選出來的。面目雖相異，但各有各的特色和個性美，審美觀再強的人也難分出高低。

異人不時打量四周，目光總是被這些美女所吸引，廳內的匠心設計和那些奇珍異寶擺設，在這些美女的艷麗光輝映照下，全都顯得黯然失色，銀爵玉盤的精緻，更是微不足道了。

屏風後面的暗間裡，傳出輕柔的樂音，聲音不大，但異人聽得出樂器眾多，是個大編制的樂隊，而且奏的正是秦國宮廷用餐時的膳樂。

異人先是一驚，一介商人怎敢僭用宮樂，這是抄家滅門之罪，但再一想，這是趙國而不是秦國，他不禁啞然失笑。

後來，逐漸，逐漸，他整個心靈都溶化在這故國音樂裡，尤其是樂聲中時時出現的擊甕叩缶與嗚嗚的人聲和聲，更勾起他濃濃的鄉愁。

十多年了，他遠離故國，輾轉各國當質子，去的都是秦國剛入侵過，充滿悲憤怨恨的國家，這些國家的君臣民眾對秦國本身無力報復，卻在有意無意之間，全報復在他這個質子身上。

仇視，冷漠，比此刻在屋外刮著的北風還要凜冽，還要刺骨！

爲什麼各國一定要有戰爭呢？爲什麼秦國必須向外發展？經過商鞅變法，廢井田，開阡陌，秦國上下勵精圖治，民間男耕女織，百工巧匠，各盡其業，已經是豐衣足食，百用具備，夜不閉戶，山無盜賊；自從收了巴蜀以後，更是鹽鐵木材，取之不盡，用之不竭，國之富有，超過山東各國。

爲什麼還是要連年出兵中原，和了又戰，戰了又和，進攻別國的土地，佔了又還，還了又佔，殺敵一千，自傷八百，秦國多少年的征戰，苦了天下各國，更苦了秦國民眾。

他當了十多年的質子，所到國家都是新戰之餘，親眼見過無數精壯橫屍沙場，老弱死於溝渠的慘狀，也聽過無數寡婦夜哭的悽慘啼聲。秦國國內的景況應該不會好到哪裡，天下的慈母哭兒和寡婦哭夫的聲音都應該是一樣的！

假若他有一天能登位……

但那可能嗎？

他只是個棄子，棋盤上隨時可以犧牲的棄子。

就在他沉緬於鄉愁和回憶中時，不知什麼時候，樂聲已停止，呂不韋從席位上站起來宣佈：

「各位公子請努力加餐，現在我要呈獻我所有寶藏中最珍貴的一件！」他對侍立在屏風口的侍女拍手點頭暗示。

異人從回憶中驚醒，目光正好和呂不韋的相對，他總有著直覺，呂不韋今晚的視線，大部份時間都在射向他，而且看他的眼神和看別人的不一樣。

他在呂不韋的注視中，看到憐憫，也看到渴望，似乎想對他有所施予，卻有著更多對他的要求。多複雜的神情！

但他對他能抱著什麼希望？又能有什麼企求？他想藉著他打通秦國的關係，將秦國也容納在他的商業王國的版圖？那他就計算錯誤了，秦國不要商人，尤其是像他這種影響政治的大商人。

而且，他異人只是個棄子，對他可說一點用都沒有。

4

樂聲停止，室內一片沉靜，眾人的視線都轉向屏風口，過得片刻，兩名俊僕抬著一張雕鏤精緻、碧玉桌面的几案出來。

眾人在失望之餘，一陣哄笑聲起，目光全都轉到呂不韋的身上，似乎都在問，這鑲金嵌玉的沉香木几案，也許是價值不菲，但能算是你呂不韋最珍貴的寶藏？

據傳說，呂不韋有次為了和一個齊國鹽商鬥富，五尺高、完美無缺、價值巨萬的珊瑚樹，都像敲糖人一樣，三下兩下敲得粉碎，臉上連一點惜意都沒有，這張几案會有什麼奧妙？

呂不韋對眾人懷疑的眼光視而不見，他仍然微笑的看著異人，眼神中彷彿在問：

「你也會和他們一樣性急無知，不等最後結果出來，先就大驚小怪？」

異人鎮定的注視著他，心裡在告訴他：

「我和他們不一樣，我不到最後不加評論！」

接著，又有兩名艷婢小心翼翼的抬出一張古琴，其中一人用衣袖擦拭原已光潔如鏡的案面，然後再輕巧的放好。

眾人中趙太子精通音律，也最識貨，他又是坐在西席首位，看得也最爲清楚，他忍不住大聲驚呼：

「焦尾琴！」

在場都是王孫公子，當然都聽過這個名字，也都恍然大悟，焦尾琴的確稱得上是無價之寶。

相傳，焦尾琴爲周文王所製，有一天，他在一棵枝葉參天的古老梧桐樹下彈琴，招來鳳鳥停棲在此梧桐樹上，而百鳥朝鳳，也都圍繞著梧桐鳴唱。雖然這種景象不到半個時辰，但餘音在文王耳中卻繚繞三日不去。

不幸，第二天這棵梧桐就遭到雷擊，文王命人選它的殘幹製成琴，而尾部還留有雷擊的焦痕，所以名之爲焦尾琴。

此琴在西周東遷時就已在戰亂中失蹤，想不到又在此處出現。

「的確，這項絕世珍寶當得呂先生寶藏之最了！」趙太子極口稱讚，帶頭站起來到中央几案前，撫摸審視名琴。

其他人也跟著圍上來觀看，七嘴八舌批評讚賞和觸摩。

只有異人和世子喜坐在席位上不動。

呂不韋稍露驚詫的看了異人一眼。異人裝著沒看見，仍是一副若無其事的神情。

各位公子在讚嘆聲中回到自己的席位以後，呂不韋輕描淡寫的問世子喜和異人說：

「難道此琴就不值公子一觀嗎？」

「神品只宜遠看，不宜褻玩。」世子喜微笑著說。他坐在西向首位上，當然能很清楚的看到中央席位上的琴。

「公子你呢？」呂不韋不放鬆的緊追著異人問。

「我的看法是這琴還談不上是呂先生珍藏之最。」異人笑著說。

「公子的理由呢？」

「琴的功用在發出美妙的樂音，不然只是一段死木頭而已，所以依在下的判斷，呂先先最寶貴的應該是能使此琴發揮極致的人！」異人徐徐說道。

呂不韋先是一怔，隨即仰首放聲大笑。

「高明！高明！不愧是上國公子！」

世子喜震驚的看了呂不韋一眼，再看看異人，只見他臉上毫無喜色。

正在紛紛議論的各國公子，根本就未注意到呂不韋和異人的對答，但經他這一陣大笑，全都轉頭注視。

呂不韋站起來，拍拍手宣佈說：

「秦公子的話不錯，要是沒有絕世弄琴高手，絕世名琴也只是一段死木頭，但高手沒有知音，也是絕大恨事，好在今晚在座各位公子都是精通音律，尤其是我們的趙太子。」

「不敢，不敢。」趙太子得意的向眾人拱手。

此時呂不韋向身後侍婢點點頭。

侍婢奔向屏風後暗間。另外數名侍婢忙著點亮廳內周圍的水晶燈，室內光度突然增加何止一倍，對面看人纖毫可見。

「現在，在下要將寶藏中最珍愛的珍藏呈獻在各位眼前，她不但是彈琴高手，也是歌舞天才！」

這時，眾人都屏息以待，室內只聽得見燭心的輕微爆炸聲。

突然屏風後響起一陣輕盈腳步，還有玉珮的叮噹聲。

眾人都轉首凝視屏風出口，只有異人搖搖頭，和坐在他上首席位的太子喜相對微笑。

他們都在想：難怪呂不韋這樣年輕就富可敵國，他眞有他先聲奪人的一套。

5

但是，異人很快就改變了他剛才的想法。

一位麗人在兩名俏婢的扶持下，走出屏風，室內彷彿又突然一亮，眾人的眼睛也跟著發亮起來。

她身材碩長，體態豐盈，卻有著一束只能盈握的細腰。她臉上未施一點脂粉，膚色在燈光下卻比玉還光潤白皙。除了挺鼻、殷紅小嘴外，最奇特美妙的是兩道長眉直揷入鬢，未經描畫，自然漆黑閃亮。

她豐滿，卻長著一副瓜子臉；她碩長，卻步履輕盈得像貓一樣；她神情嚴肅，但舉手投足之間，卻會勾起男人最基本的慾念。她髮髻上只有一根玉簪，卻比滿頭髮飾更引人注目。

她是個矛盾的綜合體，但一切矛盾在她身上都顯得如此調合，轉變成更進一層的美。

眾家公子望呆了，呂不韋凝視著她的眼神更是錯綜複雜，其中包括得意、憐惜，也包括了別人看不出的更多東西。

異人也為她的美艷所震懾，他只看了她一眼就低下了頭，奇怪的是，他心中湧起的是一陣想佔有她的慾念，純粹的，赤裸裸的男人對女人最原始的慾念。

他對自己這種慾念有著罪惡感，但按捺不住。

「這是玉姬，她現在要為各位呈獻她的琴技。」

玉姬先行跪下，向各位公子叩首行禮，她明媚的大眼流光四射地轉動，像箭一樣刺透了這些年輕公子的心，他們不自主的都在原席位上作出虛扶的動作，嘴中連聲說著不敢。

她的美震懾住他們，他們忘了她是歌伎，也忘了自己貴公子的身份，在他們眼中，她是夫人。

然後，她在几案前坐下來，先是挑撚幾下，調整了一下琴絃，就只這幾聲，精通音律的趙太子就不自覺的驚嘆了一聲：「好！」

接著她不急不緩的彈奏起來。抑揚起伏，琴聲鏗鏘，將整個客廳籠罩在美妙的琴音中。

異人不懂音律，對音樂一向只是直覺欣賞。在秦國，王孫公子自小受的是法家教育，講求的是如何治國平天下以及窮研兵法，學習行軍佈陣，以備異日統兵作戰。

秦國宗室沒有特權，不立軍功，就會在宗室簿上除籍，因此，音樂只是他們酒酣耳熱助興發洩的工具，連帶樂工歌女和舞伎，莫不如此，聽音樂的時候，他們耳中根本就沒有音樂，更別說用音樂來調劑心靈了。

開始時，他看到燕世子喜正襟危坐，凝神而聽，以及趙太子閉目擊節，一副悠然神往的姿態，不禁有點好笑，但逐漸，玉姬那雙在瑟絃上輕挑慢撚或急促移動的手，吸引了他的注意。多白皙的手！柔軟似若無骨，潤滑晶瑩美得找不出一點瑕疵，但撫在琴絃上時，卻是那樣有力，每一個琴音似乎都扣動著他的心絃。

又逐漸，他不知不覺竟已沉醉在她的眼波之中。

雖然她靈活的眼睛似乎照亮到室中每一個人，但他發覺到，大半的時間，她的目光是停留在他身上的。眼中帶著嫵媚，也含著幾許的笑意。

她在注意他對琴音的反應，彷彿也發覺到他根本不懂音樂，她對他是另一種酒，他醉的是她本人，而不是琴聲。

不錯，她對他是種美酒，神奇的美酒，他藉著看她彈琴，可以無所顧忌的直瞪著她看。此刻，他覺得自己是個眞正的男人，忘掉所有飄泊在各國的寂寞和苦悶，他是秦孝公的子孫，雖然不是嫡系，但他的血管裡流有他的血液，秦孝公可以將秦國從一個邊疆小國，變成天下舞台的主角，他爲什麼要一直爲是庶出而自卑？

怎麼說他的父親安國君是太子，秦國國君的位置，對他來說，並不是完全不可及的！酒能使人做平時不敢做的，想清醒時不敢想的，而美女是男人最醇最烈的酒。時時注意著他的那雙嫵媚大眼，突然閃起異樣光彩，他自己也發覺到，他的精神振奮，外表也一定變得不再畏縮頹唐，而使她刮目相看。

就在他胡亂遐思中，琴聲戛然而止，眾人都擊案喝采，只有他茫然未動。

呂不韋微笑的看著他，他才覺察到自己失態，隨便鼓了幾下掌。玉姬在此時開口說：

「秦公子也許對賤妾所奏靡靡之音聽不入耳，現在我彈一段楚大夫屈原所作的〈國殤〉，這套曲和辭，據說在秦國很受歡迎，不知是否？」

玉姬人美，聲音更美，鶯囀似的聲音聽得異人失神，不知如何作答。

玉姬不再多話，調緊琴絃，一開始即作兵戈殺伐之聲，琴音高亢繁複，前後錯綜，表現出戰場千軍萬馬廝殺衝突情景。

忽的，她輕破朱唇，引吭高歌——

操吳戈兮被犀甲，

車錯轂兮短兵接。

旌蔽日兮敵若雲，
矢交墜兮士爭先。
接著聲音一轉低沉——
凌余陣兮躐余行，
左驂殪兮右刃傷。
霾兩輪兮縶四馬，
援玉枹兮擊鳴鼓。
琴音緩慢，歌聲變得感傷——
天時墜兮威靈怒，
嚴殺盡兮棄原壄。
出不入兮往不反，

平原忽兮路超遠。

琴音又復急促，歌聲卻轉高昂曼長——

帶長劍兮挾秦弓，
首身離兮心不懲。
誠既勇兮又以武，
終剛強兮不可凌，
身既死兮神以靈，
子魂魄兮爲鬼雄。

琴彈到此，琴絃忽斷，歌唱完時，聲也嗚咽，玉姬忍不住以袖遮臉拭淚。

異人感動得滿臉淚痕而不自覺。

世子喜則在一旁帶點解圍的口氣說：

「按照趙國的風俗，歌者指明爲某人獻歌，受歌者理當給點采頭，公子卻連掌都未鼓一下。」

異人哦了一聲，摸摸渾身上下，實在沒有一樣珍貴物品，給錢未免太俗氣，唐突了這樣的美人，最後他摸到腰帶上的那塊玉珮，這是他父親安國君送給他生母夏姬初夜定情之物。在他首次出外當質子時，夏姬將這塊玉珮鄭重的爲他掛在腰帶上，叮囑著說：

「兒子，歷代秦國出外當質子的，不是被殺，就是長年滯留在外，很少能安全回到國內定居，假若你在外遇到適當中意的女子，就用作聘禮好了。」

那年他只有十二歲，母親言猶在耳，轉眼間十多年過去，他卻越來越不得意。

他茫然的取下那塊玉珮向身後的侍婢示意，侍婢取來一隻玉盤，盛著玉珮送給玉姬：

「這是秦公子賞的。」

玉姬來到他席前下跪，叩頭道謝，異人連忙扶起，手觸及到她的柔荑時，不禁全身都顫抖了一下。

其他公子也在一旁鼓掌哄笑湊趣，紛紛摸出珠寶要身旁侍婢拿到玉盤裡。

玉姬一一叩謝，最後告辭入內。

接下去另有歌舞節目上場，呂不韋也一再勸酒，但歌者自歌，舞者自舞，異人全不知道場內在進行些什麼。

他只不時將雙手輪流放在鼻前深深地聞著，因爲手指還留下玉姬的餘香。

6

繡被羅帳，金盆紅炭，樓外依然刮風飄雪，室內卻溫暖如春。

一具麒麟形的香爐，燃著南荒獻來的異香，香煙飄渺，香味清淡，若有若無，使人有種置身仙家洞府的感覺。

玉姬半裸的躺在呂不韋的懷裡，撫弄著他的鬍鬚，敞露的酥胸高挺結實，渾圓滑膩的大腿白如羊脂。

她半閉著星眼，不斷在挑逗著呂不韋。

他則半躺靠在床欄杆上，眼望著天花板陷入沉思，似乎對她的撫弄吻吮，沒有半點反應。

「你在想什麼？」她的撥弄得不到平日的效果，不禁有點奇怪起來。

「很重要的事。」他仍然半閉著眼睛，有點不耐煩的回答。

玉姬停止了逗弄，半是撒嬌半是生氣地離開他的懷抱，翻身背對他而睡，嘴裡卻說著：

「現在你不理我，等下別來煩人！」

呂不韋一把抱住她，強將她轉身過來，玉姬閉上眼睛等著他雨點似的狂吻。但等了很久，只等到呂不韋的一聲長嘆。

「你今晚怎麼啦？」玉姬睜大眼，氣憤的問。

「我在想今晚那些所謂的王孫公子，他們都可能是未來各國甚至是天下的統治者，平日自命尊貴，看不起我呂不韋是市井商人，可是一見到你，卻都像見到天鵝的癩蛤蟆，一個個垂涎三尺。」

「你因此不高興，你嫉妒？」

「怎麼會？我只是驕傲高興，出了平日的一口怨氣。」

「財不露白，色不外洩，你將我拿出去炫耀，假若他們中間有人向你要我，你給還是不給？」

「那怎麼會！」呂不韋不在意的笑著說。

「很難說，尤其是那位秦公子，看他那副失魂落魄的樣子。」

「我看妳似乎也對他有意，撫琴時，目光始終停留在他身上。」

「我說你嫉妒了吧！」玉姬格格的笑起來，緊往他懷中鑽：「其實，在我的心目中，他們有哪一個比得上你？英俊、瀟灑、多金，還多一份他們所沒有的自由，尤其是……」

「尤其是我的床第功夫，是不是？」呂不韋輕淡的說。

「你這個人眞壞！」她嬌羞的鑽入他的懷中。

呂不韋仍然沒有反應，只是撫弄著她黑如潑墨的秀髮出神。半晌，他突然冒出一句：

「妳認爲異人這個人怎麼樣？」

「什麼？你剛才單獨送他出去的時候，他向你說了什麼？」玉姬驚嚇的坐直了身子：「眞的，我注意他，只是對他存著一份憐惜，一個天下至強秦國的公子，卻落魄畏縮成那個樣子，還不如弱燕的太子喜那樣泰然而帶自信。」

「我同樣對他存著憐惜，而且在他身上我思考著一項雄圖大計。」

「你想將我送給他，拉攏他，發展對秦的貿易？」玉姬哀怨的說：「不韋，說眞的，我對你是忠心不貳的。」

呂不韋對她的表白不置可否，反而問她說：

「耕田之利能賺幾倍？」

「大約十倍吧。」她不解的看著他，遲疑的回答。

「像我這樣販有於無，壟斷趙齊珠玉鹽鐵，能得利幾倍？」

「應該有百倍之多吧？」玉姬索性誇大其詞。

「那立主定國能賺多少呢？」

「你！你在想什麼？」玉姬瞪大眼睛。

「告訴我！這能夠賺多少倍？」

「不知道，」玉姬搖搖頭說：「也許可以賺到列土封侯，子孫世代南面稱孤，但也許會虧到家滅人亡，身首異處。」

「做生意本來就是風險越大利潤越高，最沒有風險的是市井販賣豆漿早點，逐什一之利，但妳滿足於我這樣嗎？」

「但目前你已經如此……」

「不，我有我的打算，不過一時無法向妳說淸楚，而且女人應該是只管享用男人所賺來的成就，不必知道他們的成就是如何得來。」

「但我關心你，我想知道。」玉姬躺進他懷裡，仰面祈求。

「不，我一時眞的說不淸楚。」他溫柔的撫摸著她的臉，語氣卻是斬釘截鐵似的堅決：「我只能告訴妳，開始時，我的確想藉由他打開秦國的市場。妳也許不會懂得這些，秦國連年對外征戰，最需要的是精良的兵器。但秦國鍊鐵術遠落於山東各國之後，還是以銅兵器為主。目前它打勝仗全靠兵強將勇，兵器連韓魏等弱國都不如，更別說強大的趙和齊了。秦國有識之士一直以此為憂。於是我想到目前暫時販賣韓魏的兵器到秦國，一旦爭取到秦王的信任後，為秦國開採巴蜀的鐵礦和地下自來火，再將鍊鐵術傳過去。」

「現在呢?你改變了主意?」玉姬插口問。

「不錯，今晚見到異人後，我改變了主意。」

「怎麼個變法?」她搖頭表示不解。

「那樣做，再大的發展，都只是為他人作嫁!」

「因此你想到定國立君?但看異人的樣子,不像個英明有為的君主,」她輕蔑的搖搖頭：「看他那副想親近我卻又畏縮的神態。」

「哈哈，」呂不韋又笑出慣有的開朗笑聲：「就是看到他這副優柔寡斷的樣子，我才起了這個念頭。英明通常無情，優柔一般忠厚，他如今不得意，假若我能施恩，將來他一定不會負我。」

「你的計劃呢?」

「一時對妳說不清楚，不過我已成竹在胸，只是現在不是談這些的時候。我也得鄭重考慮。」

呂不韋如釋重負的嘆了口氣，緊抱住玉姬，嘴移到她高挺的胸前，含住鮮紅粉嫩的乳頭，輕吸起來。

「我說過不要煩我！」玉姬嬌嗔著，卻反身將他的頭抱得更緊。

窗外朔風怒吼，雪越下越大。

室內燥熱有如暮春。

7

三個月來，異人都處於失魂落魄狀態。

他耳畔始終縈繞著那晚的琴聲，有事無事都是如此。

他眼前不斷出現玉姬那雙白皙春筍般的手，日間、夜間、夢中、清醒，只要他閉上眼睛，那雙手就會在他面前搖動，還有那對明媚的大眼。

尤其是那眼神所流露出的神情，憐惜中帶著鼓勵，這是多年來他從未見過的。

明白他處境的各國君臣，看他的眼神是敵意中含著輕視；當質所在國的民眾，只要知道他的身份，再和善的人，立即會在眼中噴火。

同爲質子的各國公子王孫，表面對他奉承巴結，或是公開仇視，眼神中總掩蓋不了他們心中的仇恨和譏刺。

只有一對眼睛曾帶著這種憐惜混合著鼓勵的神情注視過他，但那已是很久很久以前的事。

那就是他的生母夏姬的眼睛，她在看他的時候，總是帶著這種眼神。

但肯用這種神色看他的眼睛，他已有多年未見了，他也一直認爲，今生不會有第二個人用這種眼神看他，卻想不到它又出現了，而且是出現在一個絕世佳人的臉上。

他多希望這種眼神永遠留在他身邊，光耀著他，鼓勵著他，在這股眼神的照射下，世界上沒有他不能完成的事！

只是，他不知道她到底和呂不韋是什麼關係。她只是一名歌伎，他卻說是他最珍貴的寶藏！

假若他厚起臉皮向他要，他能割愛嗎？

顯然，呂不韋邀他與宴，對他比其他任何質子都好，這表示對他有所求。

事後燕世子在這段時間裡也造訪過他幾次，他們年齡相當，意氣相投，很快就結爲好友。

他告訴他，外面傳說，呂不韋特意拉攏他，是爲了想開闢秦國這塊處女市場，因爲秦國一切大規模產銷都完全掌握在政府手上，只要打通國君這一關，將來不但有做不完的生意，而且是可以壟斷。

但他也苦笑著告訴燕世子，他這個王孫，在國君祖父和太子父親眼中都沒有一點地位，不幫忙說話還好，說了只有誤事。要是生母得寵，也許可以在後宮幫呂不韋介紹點珠寶玉石生意，現在連這都做不到，其他更不必說了。

呂不韋目前也許不清楚他的處境，不過日後總會知道，他能開口要他最珍貴的「寶藏」嗎？他有什麼可以作償？商人講究將本求利，他付不出這筆代價。

他嘆口氣站了起來，環視室內陳舊的家具，簡陋的擺設，再看看掛在牆上穿了多年的狐裘，有些地方都脫了毛。

他在這裡的府第是租自一家破落戶，爲了貪圖氣派大，租金便宜，但底下只有幾個僮僕，連打掃都打掃不過來，別說保養維護了，房子太大人太少，更顯得落寞。

這不正是他處境最好的寫照？架勢大，全都是空的！

跟他從齊國來此的齊姬，因爲不習慣這種冷落，來了趙國沒幾個月就下堂求去，他就是能要到玉姬，他能用什麼來使她快樂？

但他多希望她那股眼神永遠留在他身邊，溫暖著他，鼓勵著他，在那股眼神的照射下，他感到振奮，彷彿脫胎換骨變成了另一個人。

只要他維持這種心情，他說不定眞有一天會成爲秦國的統治者，天下和平的維護人。

在和世子喜數次傾談中，他們談到戰亂中民眾的疾苦，也都道出各人的志向。

世子喜說，一旦他接位，將輕刑減賦，與民休養，在易水以東建立一片樂土，讓燕國成爲一個富而知禮的國家，絕不再想在中原稱雄爭霸，除了抵禦外來的侵略，絕不輕動干戈。

他的理想是：燕國國小地偏，以易水爲帶，和中原各國利害關係極小，只要努力建設，息戰止兵，在他有生之年，必定可將燕國變成一個安和樂利的國家。

在世子喜一再的鼓勵和要求下，他勉強說出他的抱負：假若他能登上秦國國君的位置，他不會像他的祖先那樣對外侵略。自從秦國兼併了巴蜀以後，可說是民豐物足，等待開發的地方太多，他要全力在國內開發建設，而強大的武力則用來維護天下和平，誰要先啓戰端，他就率領其他各國加以討伐。

「我要成爲天下和平的維護者！」

說這番話時，他倒是慷慨激昂的，現在想想，有點痴人說夢。

不過，只要想到玉姬憐惜混合著鼓勵的眼神，他又覺得這並不是完全不可能的事，而且太子喜也激動的鼓勵他，有需要時，他會幫他的忙，燕國雖小，但對趙齊都有相當的影響力。

同時他又提醒他，呂不韋想利用他，他何不將計就計，反過來利用呂不韋的財富和人脈關係。

但呂不韋是好利用的嗎？他時下連利用呂不韋的本錢都沒有。也許呂不韋也明白這一點，所以三個多月沒再找他。而他想去拜訪，卻又不敢。

他在室內來回踱著，一面搖頭苦笑。不經意的看看窗外，才驚覺到已是草木盛綠的暮春時節了。

「趙升！」他對著門外喊，想要他進來加茶。

趙升卻同時叩門進來，跪著稟告：

「呂不韋先生求見。」

8

呂不韋盤膝坐在客廳，今天穿的是一件灰色夾衫，更顯出他的飄逸瀟灑。

異人走進客廳，呂不韋起身想行平民見貴族的跪拜之禮，卻一把爲異人拉住，最後行賓主之禮，呂不韋坐在上位。

趙升獻茶後退出，兩人寒暄後，一時找不出話說，沉默了很久。異人想問他今天的來意，也想順便問候一下玉姬，卻開不了口。最後呂不韋撫弄了一下他的三絡青鬚，毅然的說道：

「剛才我進門的時候，看不到什麼僮僕，這麼大的宅第，是否嫌冷落了一點？」

異人苦笑不語。

說。

「假若公子不嫌唐突的話，在下想開門見山直言。」呂不韋一面觀察異人的臉色試探著說。

「先生儘管道明來意，直說無妨。」異人仍然苦笑。

「公子對在下也許了解不多，但在下對公子的處境卻是打聽得非常清楚。」

「啊！」異人雖早已料到，但聽到他這樣直言不諱，仍然激動得全身一震。

「這次造府拜訪，一來是感謝上次賤辰能得到公子移玉親臨，再則是爲公子感到不平，想助公子一臂之力。」

異人注視著呂不韋，在他眼神中也看到了那股憐惜，但不知爲什麼，玉姬眼神中的憐惜使他感到溫馨，而出現在呂不韋眼中，卻令他覺得是無比的侮辱。

他語氣僵硬的問：

「助我什麼一臂之力？」

「光大公子之門。」呂不韋微笑著說。

看他一副成竹於胸的樣子，異人不禁有氣，他帶點微怒的說：

「我祖父身爲國君，父親亦是太子，先生要如何光大我的門楣？」

呂不韋一時微笑不語，似乎在等他息怒。過一會他才又說：

「公子生氣了嗎？事先講好你不會嫌我唐突的。」

「請直言，我並未生氣。」異人暗責自己氣度太小，別人一句話就能激使他怒形於色。

「秦爲天下之最強，公子令祖、令父又爲秦國之至尊，當然在下無能爲力再增加點什麼！但令祖、令父之門，並不等於公子之門！」

異人想起本身困境，不能不同意，但他不服氣的問：

「先生能幫我些什麼？」

呂不韋笑著說：

「三天以後，這裡將僮僕成群，不再這樣冷清；三個月以後，這裡將是門庭若市，車水馬龍，成爲各國貴賓雲集之處！」

呂不韋顯得有點興奮，他長跪了起來，聲音提高許多：

「三年以後，你將成爲秦國的順位繼承者，不再是秦國的棄子！」

「先生！」異人制止住他：「隔牆有耳。」

這次輪到呂不韋有點尷尬，他白皙的臉上浮上一層紅雲，就此默默無語。

異人的話提醒了他，「立主定國」乃是牽涉政治的大事，稍一洩漏，引起戰爭不說，說不定他和異人都有殺身之禍。

異人對他是心存感激，但貴族慣有的驕傲，受不了他眼中憐惜的侮辱。他反過來語帶譏諷的說：

「先生爲什麼不將這番心力用在光大自己的門楣上？」

「公子知道，商人絕不做沒有利潤的生意，光大公子之門，也就是光大在下之門。在下財富已足，就等著門楣了。」

「我原先還以爲先生要的是巴蜀的鹽、鐵、銅、礦和秦國的兵器市場，」異人仍帶譏諷的說：「想不到先生的雄心比這還大。」

「也許在下是越界了，」呂不韋又回復冷靜的說：「但貧時思富，富後思貴，是在下心情，也是人之常情。」

「這件事非同兒戲，我得考慮一下是否接受先生的好意。」異人心中雖然一萬個願意和感激，但只要接觸到呂不韋的眼神，就自然而然起了反感。

「這樣也好，」呂不韋起身告辭說：「此事雖然得鄭重考慮，但也是事不宜遲。據在下日前得到的消息，秦王近來年老體弱，在病榻上時間居多，一旦……」底下的話呂不韋沒有說下去。

不過，異人明白他要說什麼，一旦有所緩急，安國君順理成章繼承大位。接下來就是要冊立太子，他人遠在趙國，宮內又沒有奥援，當然沒法和其他弟兄們爭！

最使他感到震驚的是，這個消息呂不韋都已得到，而本國派駐趙國的使節卻一點都未向他提起過，他一直以爲祖父還健朗得很。

異人心念急轉，表面卻裝得不動聲色，他告訴自己，和呂不韋這種大奸巨滑的商人打交道，他得步步爲營，小心謹愼，否則就會落入他設好的圈套。

呂不韋看他不說話，自作結論，語氣堅決的說：

「這樣好了，明天酉時在下派車來接公子，並不一定要談今天的事，只是小酌一番而已。」

「明天……」異人沉吟不語。

「哦，這也是玉姬賢妹的意思，自賤辰那晚分別以後，玉姬時常提到公子，今天在下到府拜訪，臨行她還一再交代，務必將公子請到。」

「玉姬？賢妹？我還認爲稱『姬』應該是……」異人雖然力作鎭定，但突然發亮的眼睛和激動的語氣早將他內心的狂喜洩漏無遺。

「玉姬是楚人，從小父母雙亡，賣到寒舍，五歲習歌舞，今年也廿歲了，十五歲那年在下才發現她的琴藝，欣賞她的才華，也可憐她的身世，因此一直是以弱妹看待的。玉姬是她歌舞班的名字，她原姓屈，據推算，應該和大詩人屈原屈大夫有點家族關係。」

「難怪唱〈國殤〉唱得那樣動人。」

他們一邊說話，不知不覺已到大門口，呂不韋臨上車還盯緊了一句：

「明天酉時，考慮的時間夠嗎？」

「一天一夜的考慮時間我想是應該夠了！」異人喃喃的說。

9

「不要老是轉來轉去，轉得人家心煩。」玉姬發著嬌嗔。

她今晚穿著一套粉紅色的家常便服，臉上仍然未施脂粉，在燈光下顯得清麗無比。

晚宴設在一間密室裡，呂不韋每逢有重大事情難決，就會獨自在這間密室內長思，除了玉姬送茶飯外，其他僮僕婢女都不知道有這間密室的存在。

室內陳設簡單，看不到一樣珠玉寶器，三面牆上都是上抵天花板的書架。正面的書架放的是在各國生意上的秘密資料，東西兩面牆上的書架，則是堆滿了各種類型的竹簡，包羅了天文地理、經子史集和兵法刑名之學。

呂不韋常向玉姬誇口，他胸懷治國平天下之學，做生意只不過是牛刀小試，將這些學問應用在商場上而已，想不到十餘年間馳騁商場，所向無敵，將那些所謂貿易世家和商場老將殺得落花流水，而建立了自己的商業王國，但他絕不會以此自足。

他最崇拜的偶像是陶朱公范蠡，他也是用將相之學經商，三致富，三散盡，最後還是天下首富。

不過，陶朱公是先爲將相，改而經商，而他呂不韋是先將治平之學在商業上獲得印證，再轉而從政，成就一定在陶朱公之上。

他等待機會已久，但將相轉爲商人易，而商人想轉爲將相，在階級分明的輕商社會裡，簡直是不可能的事。

如今異人出現，這樣簡直不可能的事終於有了變成可能的機會，他必須緊抓住不放，否則稍縱即逝，何況這中間有事去齊國，又延誤了三個月。

室內僅設有三個席位，主客東西向，下首中央是玉姬的席位，上放著焦尾琴。

經過玉姬嬌嗔，呂不韋順從的回到主位坐下，他忍不住問：

「接秦公子的車，發出沒有？」

「你問幾次了！妾身早告訴你申時末即已發車，你約的不是酉時接他嗎？現在才剛到酉時。」

「哦！」呂不韋又陷入沉思。

「今天你怎麼了?往日再大的事都不會這樣浮躁?」

「這和往日不同,再大的買賣虧了,還有賺回來的時候,這次的機會一放掉,就永遠不會再出現。」

「你現在什麼都有了,應該滿足。」玉姬嘆口氣說。

「大丈夫應成功立業,名留青史,賺點錢算什麼!人一死,財散盡,就什麼都沒有了。」

「你們男人就是這樣,好大喜功,永遠沒有滿足的時候,」玉姬哀怨的說:「放著好好的日子不過,去冒傾家蕩產,甚至是殺身滅門的危險!」

「這是妳們婦人所無法懂的,說了也無益。」呂不韋兩手握拳重擊席案,堅決的說:「這次機會我一定要把握,不惜犧牲我所有的一切!」

「包括妾身在內?」玉姬試探的問。

「妳問這話是什麼意思?」呂不韋一時會不過意來。

「假若秦公子向你要我,你也肯給?」

「他怎麼會?」

「不韋,不必騙我,昨天你告訴他以弱妹情份待我,你本身就有這個意思了。」玉姬不滿的說。

「……」他不禁爲之語塞。

「我是不想離開你的。雖然你比我老了許多，而秦公子比你年輕，我只喜歡你，你明白嗎？」

「……」

「再說，這個月我的月事沒來，醫生說照脈象看是有了身孕，這是你的孩子，你捨得將我和你的孩子送給別人？」

「眞的？」呂不韋高興得站了起來，一把將玉姬緊緊抱在懷裡：「有了我的孩子爲何不早說？」

「女人的事，不想麻煩你，」玉姬緊靠著他懷裡，臉上現出初爲人母的驕傲：「而且現在不是告訴你了嗎？」

玉姬在他胸前享受溫存，呂不韋心中所想的卻是另一件事。

他不只是高興，而且是雙倍的高興。他富可敵國，廣蓄姬妾，年屆中年，卻沒有一個孩子，現在總算有了消息。而雙倍高興的是，假若玉姬生了一個兒子，他將來可能是秦國國君，甚至是天下霸主！

爲大事者不拘小節。說實在的，開始發覺到異人對玉姬有非份之想的時候，他是有點憤怒和嫉妒，後來他只想用玉姬這塊香餌來釣異人這條潛龍，卻絕不會讓他眞正吃到口。

但現在，他不只是要釣這條潛龍，利用自己的財富送牠上天，而且要誘使牠呑下這塊餌，讓餌在牠體內化成小龍、飛龍。飛龍在天的飛龍，君臨天下的飛龍！

想到這裡，他不禁爽朗的笑出聲來：

「哈哈，哈哈！」

「什麼事這樣高興？」正在溫存中陶醉的玉姬，爲他的笑聲驚醒，嗔怪的問。

「妳教我能不高興嗎？行年卅有五，才有了自己的親生骨肉！」呂不韋撫摸著她的頭髮，也投入那股溫存之中。

「秦公子到！」聲音從大門、院子，一層層的由遠而近，由輕微模糊越來越淸晰大聲，男聲、女聲，像層層波浪逐漸轉遞過來。

「賢妹，妳出去迎接公子進來。記住，賢妹，這就是今後我們之間的稱呼。」他推著懷抱中的玉姬說。

「是，兄長。」玉姬搖搖頭，狠狠的瞪了他一眼。

10

琴聲悠揚，香煙裊裊。

玉姬那雙令他神蕩的凝脂玉手，或快或慢的在琴絃上移動，挑動的每根琴絃、跳出的每一個樂音，都會引起他心靈深處的共鳴，人間怎麼會有這樣美麗神奇的手？

偶爾，他將視線移轉到煙霧圍繞中她的秀臉時，他總會有種迷幻的感覺，他眼前坐的是人還是神仙？

她聚精會神的撫琴，偶爾也會有意無意的看他一眼，每逢目光相觸，他全身都會一震，似乎遭到電殛，而且是屢試不爽。

最後使得他再也不敢正視她的臉，只茫然的注視著她的雙手。

呂不韋舉杯向他敬酒，他渾然不知，向他說了什麼，他只是當作噪音，聽不清也不想聽清他說了些什麼。

他們的正事剛才已經談完，現在應該是陶醉在這半人間、半仙境的時候。

美酒、佳人，再加仙樂似的琴藝，這只應天上才有！

剛才，呂不韋和他推心置腹的暢談秦國內部政情：秦王年邁體弱，性情逐漸變得乖張，積極向外侵略，是他不服老的象徵，也是因他想在臨死前看到更廣大的秦國疆域。目前秦趙兩國百萬大軍在長平對峙，遲早會突發戰爭。

這種情形對異人的影響是：他在趙國的處境會越來越惡劣，事先得有應變的計劃。

太子安國君生子二十多人，異人生母夏姬不得寵，眼下等於打入冷宮，一年只在全家團拜祭祖時，才見得到安國君一面。

兄弟多，而生母不受寵，人又身處異國，安國君一就王位，即要冊立太子，他絕對爭不過生母蒙愛、而本身時時侍候在父親身邊的弟兄。

正夫人華陽夫人，無子而且過了生育期，但最受安國君敬愛。雖然她也是由姬妾扶正，但爲人雍容大度，待下寬嚴得宜，普受宮內及朝內大臣尊敬。連秦王有時也會向安國君開玩笑說，立他爲太子，一半是爲了華陽夫人的關係，因爲她有母儀天下的儀表和氣度。

她因爲是楚人，又無子女，秦楚關係長期惡劣，所以雖受眾人尊敬愛戴，仍免不了孤獨寂寞之感。孤獨寂寞的人，最容易受溫情感動。

秦王六弟陽泉君，甚受秦王夫婦寵愛，經常隨侍在秦王身邊，善於言詞，秦王對他可說言聽計從，但爲人貪財喜貨，可以動之以利。

他們討論的結果，得出一個概要的行動計劃。

第一步，異人先在趙國造成聲勢，在呂不韋及燕太子的協助下，廣結趙國政要及各國質子使節，形成他在趙國及秦國都有舉足輕重的形象。然後再多納門客，賙貧濟急，讓這些江湖清客將異人的賢名，由民間自然而然的傳到秦王和安國君的耳中去。

第二步，由呂不韋買通華陽夫人左右，設法見到華陽夫人，動之以溫情，使她能求安國君立異人爲嫡嗣，能夠立爲嫡嗣，則未來當太子的大勢已定。另外以財貨及恐嚇雙管齊下的方式，說動陽泉君在秦王夫婦面前說異人的好話，因爲太子立嫡，還得徵求父王的核備。

第三步也是目前最緊急的一步——有鑒於秦趙兩國的緊張情勢，狡兔三窟，異人不能不有應變的準備。雖然因爲他要發動交際攻勢，必須留在邯鄲，但同時也要在鄰近鄉間營造一處緊急避難所，一旦秦趙發生戰事，趙國想殺質子時，可以到那裡隱匿。

一番深談後，異人對呂不韋可說是佩服得五體投地。他設想周到，處處進逼，卻步步都留有退路。他侃侃而論的時候，不像一個卑躬屈膝、唯利是圖的商人，卻像一個氣吞山嶽的天下宰割者。

假若他能就秦王位，呂不韋將是他的賢相能將，輔助他稱霸天下，達成他維護天下和平的願望。

不過現在，這些定國立君、治國平天下的事，對他似乎那樣飄渺遙遠，微不足道，他眼中只有那一雙美得讓人心跳的手，以及偶爾相遇使他醉上加醉的嫵媚眼波。

他忘掉了王孫應有的矜持，不知哪來的勇氣，他站起來，蹣跚的走到呂不韋席位前，他舉杯乾了說：

「呂先生，這杯敬你！」

呂不韋趕快站起舉杯回敬。

異人自己將酒斟滿，又舉杯說：

「這杯對先生有所求，答應後我再乾！」

「公子儘管說，不韋已將身家性命交託給公子，還有什麼不能答應的！」呂不韋微笑的說。

「請將先生弱妹賜給異人！」他很困難的掙扎出這句話。

「這件事在下不能完全作主，還得看玉姬本人的意思。」呂不韋裝出拂然不悅的神色，看了玉姬一眼。

「鏗」的一聲，琴聲突然停止，琴絃斷了兩、三根。玉姬怒沖沖的走向屏風後門外。

異人震驚得酒醒了大半，僵立在原處，不知該如何是好，口裡不斷喃喃說：

「她生氣了，眞的生氣了！」

呂不韋反過來安慰他說：

「她雖然只是一名歌伎，但自小我就將她寵壞了，公子請先回座，我去看看她生的什麼氣。」

「都是我不好，失態失言。」異人懊惱的說。

「窈窕淑女，君子好逑，這不是件壞事，我去問問。」呂不韋將異人扶回席位上，他走出門外。

很久，他才帶著微笑回來，在異人身旁坐下說：

「沒事了，玉姬剛才氣的是公子不尊重她。」

「不尊重她？我怎麼敢！我一直將她視如夫人。」異人囁嚅的說。

「她說她對公子自始就有好感，但公子應尊重她，不應有今晚這樣輕率表示。」

「不錯，不錯，應該明媒正娶，按照規矩來，可是……」異人想到正娶需待父親批准，這要等到何年何月，而且要是知道她只是商人家中的一名歌伎，那更絕無希望。

「玉姬說，她也知道以公子的身份，明媒正娶困難重重，但她也不願對自己委屈，她平生志願就是嫁一個平民，過著一夫一妻白首到老的生活，而絕不委身爲妾，所以算是和公子沒有緣份，從此不要再見面了。」

「呂先生，你說沒事了，竟是這樣的沒事了？」異人急得站了起來。

「公子別慌，還有下文，經過我一番勸說，她同意爲了助公子圖大業，不要因這件事感到挫折，她答應對外你以納姬的名義接她過去，但對內要行正娶之禮，而且一生兒子，就要將她扶正，在此以前不得更娶正夫人。」

「當然，當然，只要她生了兒子，理所當然的能扶正。」異人只要能得到她，此刻什麼都會答應。

「那好，現在我們是一家人了，玉姬自小孤苦，但我早就看出她與衆不同，卻未想到她將來要母儀天下，哈哈！」呂不韋得意的笑出慣有的爽朗笑聲：「在下將以長兄爲父的身份，陪一副豐富的嫁粧。」

「長兄爲父，請上坐受妹婿一拜。」異人將呂不韋推坐在席位，眞的納頭要拜。

「公子，這個玩笑開不得，雖然是一家人，君臣之禮不可失。」呂不韋說著攔住異人，自己反而納頭拜了下去：「今後玉姬還需公子多照顧，生長在商人家，不識大體，公子得海涵並加以教育。」

異人連忙扶起他來，只見他眞的臉上掛滿了眼淚，這使得他無限感動，暗暗發誓，他絕不負玉姬，更要善待呂不韋。

第2章

立嗣之爭

1

一切按照計劃進行。

呂不韋以嫁妹的名義，廣撒喜帖，商人女能作王孫妾，乃是一件高攀光榮的事，何況是唯一的姬妾，總有一天會扶正，所以接到喜帖的人也視同明媒正娶一樣隆重，只是少了一些文定迎娶等繁文縟節。

趙國大臣宗室、各國使節，以及邯鄲富紳大商全都到齊。

最尊貴的客人群，當然還是以趙太子爲首的公子團，他並且帶來一份趙王的賀書，算是所有禮物中最貴重的。

也許是由於秦趙兩國百萬大軍正在長平對峙，趙王在賀書中還特別提及這次的秦趙聯婚，應該是兩國和平的象徵，言下暗示異人應爲這方面努力。

呂不韋買下異人原來的住宅，加以裝修一新，並送了僮僕女婢數十名，作爲玉姬的陪嫁。

他並暗中在離城卅里的地方買下一處農莊，作爲狡兔的第二窟。原來這處名爲趙莊的地方，住著一位趙國地下勢力領袖趙悅，他和呂不韋是生死之交。

趙悅交遊廣闊，上至朝中顯要，下至市井英雄，他都一律同等看待。他爲人重然諾，輕錢財，急人之急，奮不顧己，受到趙國上上下下的尊敬。

在呂不韋的安排要求下，他收了玉姬爲義女，承諾異人和她有難時，他會全力幫助。

同時，呂不韋以異人的名義到處送禮，結納顯貴、市井英雄和名流隱士。並且以大量錢財賙老濟貧，特別是各國因戰禍逃到邯鄲而生活無依的難民，他設粥廠，送棺木，請名醫施診送藥，活人無數，可說惠及生死。

在這些人的心目中，異人雖是暴秦王孫，本人卻是仁德才智兼備、一諾千金的英雄，假若能由他在秦國執政，絕對會消弭戰禍，天下太平。

另外，呂不韋也爲他招納了一些門客謀士，養在宅邸之中，專爲他出計策，作宣傳。如此一來，異人變得交遊廣闊，每日賓客盈門，車水馬龍，門庭若市，他不再是昔日的落魄王孫，儼然是住在趙地的秦國小孟嘗君。

傳言沒有翅膀，卻飛得比有翅膀的更快。他的賢名逐漸傳到各國，當然也傳到了秦國，時間一久，輾轉傳到秦昭王和安國君的耳中。他們才猛然想起還有一個這樣的孫子和兒子丟在趙國，而且是如此賢德，連敵國上下都尊敬。

更可笑的是，秦昭王還下令查異人是哪個公子的兒子；而安國君才查到執事者所撥的用度根本不夠質子基本開銷，他能如此仗義疏財是因爲新納了一個姬妾，乃是巨賈呂不韋的弱妹和趙國地下領袖趙悅的義女。

安國君想了很久，才想起十年前異人初次到楚國當質子的樣子，瘦瘦小小的，上車的時候只敢偷泣，拉著他生母夏姬，哭得一把鼻涕一把眼淚，還是他叱喝才肯驅車而去。

眞想不到，這樣一個孩子如今竟會變得賢名滿天下，而且一切都靠自己的努力。

安國君內心深處升起一種做父親的特有的愧疚。

另外，最使安國君和華陽夫人感動的一項傳言是：異人每天都會在庭院中設立香案，向西哭泣，祈禱上天保祐秦王、王后、安國君、華陽夫人身體健康，而生母夏姬則排在最後。他並祈禱能早日結束質子生活，回到秦國承歡膝下，尤其是感念華陽夫人無子，空虛寂寞，每一提及就淚下不止，恨不能飛回秦國侍奉。

華陽夫人聽到這個傳言，更是歡喜得淚流滿面的向安國君說：

「夫君，難得這孩子這樣眞心，雖然他能幹，全靠自己就創下如此賢名，但我們總要爲他做點什麼。」

「不錯，孤也作如此想法。」

但在安國君還未來得及採取行動前，秦趙之間的「長平之戰」爆發了。

2

秦昭王四十七年，趙成王七年。

秦趙軍在長平對峙，秦軍由長勝名將白起率領，趙軍則由老將廉頗指揮，兵力共約百萬以上。中間發生數次小規模接戰，趙軍連敗，固守壁壘不出，無論秦軍如何辱罵挑戰，廉頗就是不應戰。

於是秦派間諜在邯鄲散佈謠言，說是廉頗已老，已不復當年英勇，秦軍最希望他統率趙軍，而最怕的是故趙名將馬服君趙奢的兒子趙括為將，只要他一出，秦軍一定會遭到殲滅。

趙王聽信了這項謠言，派趙括替代廉頗為將。

趙括為名將之子，自幼研習兵法，談論行軍作戰之道，連其父趙奢都辯不過他，因此他自以為用兵天下第一，初領大軍，當然想表現一番。

在他奉命領軍後，因他父親趙奢數次大破秦軍的威望，趙國上下莫不歡欣鼓舞，認為必破秦軍無疑。

只有兩個人持有異議，一個是名相藺相如，當時他已重病在床，他說：「王以名使括，若膠柱而鼓瑟耳，括徒能讀其父書傳，不知會變也。」

趙王沒聽這項批評。

另一個是他的母親，也就是趙奢的遺孀。在趙括要動身接替統帥職務前，她上書給趙王，力諫不可以趙括爲將。趙王問理由，趙母說，先夫爲將時，親手端飯菜侍奉的賢者有十多個，而所交的益友更以百計，大王及宗室所賞賜的金銀珠寶，他都拿來賞賜給屬下。奉命出征之日，毫不擔心及過問家事。但現在趙括一接到擔任統帥的命令，高高在上，不可一世，屬下見到他，都畏懼得不得了。大王所賜金銀財物，他全收藏在家，每天都忙著找好房子好田地來買，大王將他們父子對比一下，就知道該不該命他爲將了。

趙王仍然不聽她的勸諫，最後趙母只有說——大王既然決定要派他去，以後有所差錯，希望不要連累到妾身。趙王也答應了。

八月，趙括接掌指揮權後，立即下令攻擊，秦軍採用口袋戰術，正面佯敗撤退，趙軍猛烈追擊，等到趙軍追擊到秦軍壁壘，久攻不下，而秦一支奇兵兩萬五千人斷絕趙軍的退路，另一支奇兵五千騎兵斷絕趙軍糧道，趙軍部隊被切割爲二，而糧道斷絕。趙軍只有重築壁壘，固守等待救兵。

秦昭王得到這個消息後，親自到河內視察，並徵召國內十五歲以上的青壯，增援長平，阻止趙國援軍及糧食運輸。

九月，趙軍已糧盡援絕四十六天，內部自相殘殺，以人肉充飢。不得已，趙括自帶精銳部隊出擊，爲秦軍所射殺。糧盡援絕，又失去指揮者，趙軍四十萬人全部投降。

秦將白起與左右商議，認爲趙人反覆無常，而四十萬俘虜無論就管理或給養來說，都是太沉重的負擔，弄不好一旦譁變，後果不可收拾，於是用計騙至絕地，四十萬降卒全部坑殺活埋，只遣返了二百四十名俘虜歸趙。

此次戰役，秦軍先後殲滅趙軍四十五萬人。消息傳回趙國，舉國上下都爲之震懾。

3

在長平戰役發生以後，異人的生活起了很大的變化，周圍仇恨的目光增多，府第外面充滿了趙國派來的監視密探。當然，門客散了，賓客也裹足不前，又恢復到以前門可羅雀的冷清局面。

趙王幾次想採取行動，殺他洩恨，都爲趙太子勸阻下來，當然其間得力於燕太子的幫助不少。

趙太子聽了燕太子的勸告，諫阻趙王說：

「長平一戰，趙國幾乎精壯皆失，秦國雖打了勝仗，但也元氣大傷，議和是免不掉的，而議和，秦質子乃是我方的一個大好籌碼，何必自毀籌碼，又給秦國一個談判佔上風的藉口？」

「長平之戰」結束，兩國議和使者絡繹於道，異人就更沒有人來干擾他了。

以異人自己來說，雖然在這段時間裡，眼看到的是邯鄲城內擠滿了難民和後送的傷殘兵卒，耳朵聽到的是滿城妻哭夫、母哭兒的悲嚎聲，開始時，他還有著自責和愧疚，因爲這都是他祖父一手造成，同時可以想像，秦國國內的情形也不會好到哪裡去。

但自從趙王派人監視他，使得他完全與外隔絕，他反而感到心安了。一來是眼不見心不煩，二來是他也想通了，除非他將來能登上王位，才有能力阻止戰禍，維護和平，否則一切愧疚和自責都是白費。

何況，秦趙間的關係，變化莫測，也許下個月秦軍就會包圍邯鄲，議和不成，趙王眞的會殺他洩恨。

在目前尙稱安全的情形下，他已無暇也無力去管別人的事，他要丟開一切，享受他還能抓得住的時間和美好事物。

說實在的，在他十年來顚沛流離的生活中，這段時間是他感到最幸福美好的，因爲有一個美麗的玉姬在旁邊。

在這段時間裡，他倆可以日夜相守，不再像以前那樣，有這多的人插進來，將他們相處的時間分割成零零碎碎。

玉姬是美妙的，不但外在的形體美百看不厭，床第之間的內在美，更使他留戀不捨，回味無窮，他經過不少的女人，但比起玉姬來，都像雞肋一樣食之無味。

玉姬懷孕的象徵越來越明顯了，奇怪的是不像別的女人，懷孕時會變得皮膚粗糙，面黃肌瘦。她依然臉色紅潤，容光煥發，而且眼神中多了一種孕婦所特有的喜悅光輝。懷孕是女人失去男人歡心的危險時期，但異人卻纏得她更緊。他們之間又多了一個話題，兒子將來會如何如何。

看到異人這種情有獨鍾的忠厚，她很多次都想告訴他，她並不愛他，她愛的是她的第一個男人——呂不韋，肚子裡的孩子也不是他的，而是呂不韋的，但她開不了口。

她現在依然單戀著呂不韋，多次都想找呂不韋私下聚聚，但呂不韋都藉故推辭，最後他竟然坦然的告訴她，要以大事爲重。

呂不韋不愛她，她卻深戀著他，異人對她死心塌地的痴愛，她卻毫不領情，有時甚至感到厭煩。難道說女人眞的不能忘記第一個男人，而床第之間的重要性超過一切？還是因爲她懷了他的孩子？

但不管怎樣，異人並不知道這些內情，他過得幸福而平靜，等待著秦國那邊的反應，因爲長平之戰後，兩國使者又復往還，秦國應該會有消息帶來。再有就是他迫不及待的等著做父親，雖然照算孩子出生應該是二月底或三月初。

十一月，邯鄲又開始下雪，秦國使者來到邯鄲，帶來安國君的一封信。信很簡單，只說聽到異人的賢名在外，做父親的很高興，同時他已下令執事者增加他的用度，不夠用，可以先向呂不韋借，以後一起歸還，但使者本身就帶來不少黃金，再加上華陽夫人賞賜的很多禮物，生母夏姬反而沒帶信來，信上也完全未提到她。

當他將這封信拿給呂不韋時，呂不韋看了以後，興奮得離座跳了起來，但很快就又控制住自己的情緒，他冷靜的向異人說：

「時機成熟了，我們應該實行計劃的第二步。」

異人不解的問：

「安國君的信上並沒說什麼，只是有關增加用度而已，先生爲什麼高興？」

「不是安國君的信，而是華陽夫人的賞賜，可見你每日西向流涕思念她的傳言，已經發生了效果。」

「那下一步應該怎麼做呢？」

「趙國有關方面希望我以商人的身份去秦國，一半是觀察秦國的情勢，一半也是要我乘機遊說，看是否能說動一些大臣，對將來的和議有所幫助。剛才我還在擔心，安國君那方面這樣久還沒有動靜，現在已開始動了，我們就得因勢利導，照計劃做。」

「先生準備什麼時候動身？」異人問。

「我還得準備一下，當然越快越好，」呂不韋沉吟一下說：「等我走後再告訴玉姬，我不想行前麻煩她。」

異人只驚詫的看了他一眼，沒有說什麼，呂不韋老謀深算，凡事都有他的用意，他一切信任他。

4

呂不韋輕車簡從，只帶了兩名侍僕，乘了一輛雙駕馬車，匆匆忙忙趕向秦都咸陽，一路上見到不少戰後慘況，新戰後未及收屍的戰場，哀鴻遍野，蝗蟲般遮道搶食的難民，看得他心酸不已。

好在他交遊滿天下，有生意來往的商人也遍佈各地，每到一個地方都有人爲他打點和帶路，他很順利的抵達咸陽。

在咸陽他借住在白翟家。白翟乃是秦國名將白起的兄弟，雖然他是將門之後，但對打仗和政治都沒有興趣，包攬了巴蜀的藥材和楚國木料的生意，和朝中宗室顯要都關係很好。

呂不韋在各國首都和通商大道，除了本身的分號和連絡站外，都交有這類的朋友，他們不只是有生意上的來往，財務上的轉撥借貸，互通有無，而且互相交換各國重大政情和商情，必要時代爲向當地政府活動。

異人的事，在秦國的宣傳攻勢就是白翟一手策動，而且活動沒因長平戰事稍停。因此，在呂不韋抵達秦國以前，他已將一切都安排妥當。

那天晚上的洗塵宴沒有請外客，除了白翟家人外，就只有幾個參與其事的門客。飯後，白翟更是摒除所有的人，單獨和呂不韋在密室內長談。白翟首先報告安排活動情形，他說：

「你上午到時，我就已派人通知陽泉君，說你已到咸陽求見，他立刻答覆明天在他府中設宴爲你接風。」

「陽泉君爲人眞爽快，」呂不韋驚詫的說，隨即接口稱讚：「當然這也是二哥的關係好。」

「這也不能全然歸功於我，」白翟微笑著說：「這段時間我代賢弟花費了不少金子，全都列了清單，賢弟看了不要心痛才好。」

「這是哪裡話？在商言商，不下大本錢，哪來的大利潤？」呂不韋爽朗的笑著說。

「還有，我想到，安國君及夫人雖然因我們的宣傳攻勢，對異人公子已有了好感，但直接由你遊說，恐怕太明顯，效果也許適得其反，所以愚兄也買通了一位得力的人，她的話，華陽夫人一定聽得進去。」

「什麼人？」呂不韋驚喜的問。

「華陽夫人的令姊，她寡居已久，獨子前幾年又在攻楚戰爭中死亡，家境非常不好，前些日子派人到我這裡買木料修繕房屋，我不但價錢算得便宜，而且還奉送了不少珍貴材料，作爲她裝飾起居室之用。她表示非常感激，不過她爲人精明，知道我示好必有所圖，曾暗示我好幾次，將來有她能辦得到的事，她會盡力幫忙。」

「精明人辦起事來更爲得力，」呂不韋點點頭，緊接又問：「她對華陽夫人的影響力如何？」

「她是華陽夫人唯一在秦的親人，恐怕也是唯一在世的親人，她居住在安國君府第的時候較多，和華陽夫人可說是形影不離，而安國君對這位大姨也是既憐且惜，差不多的話，他都會聽得進去。」

「什麼時候安排我見她一下？」呂不韋問。

「愚兄的意思，你不必去見她，這會將事情弄得太明顯，引起別人的注意。賢弟要知道，爭取當安國君嫡嗣和想鑽華陽夫人門路的，可不只是我們這一方面，安國君不但姬妾成群，而且公子有廿多個，女兒更不知有多少。不過，由於我們攻心戰術奏效，目前我們是暫居上風，假若能說動陽泉君在主上那裡先墊個底，事情不難成功。只是眾多競爭者當中，有一個人我們不能不防備。」

「誰？」呂不韋急忙問。

「子傒公子！」

「他是何許人？」

「安國君的愛子，他生母吳姬是安國君眾多姬妾中最美也最年輕的，可說是獨擅寵愛，她一直在逼安國君立子傒，愛屋及烏，安國君也有這個意思，只是華陽夫人還沒有鬆口。女人心理微妙，雖然安國君對她尊敬，言聽計從，但吳姬年輕貌美，安國君對她才是眞正的寵愛，女人一般渴望的是愛而不是尊敬，對不對？」

「我有此同感！」呂不韋點點頭。

兩人相對，發出會心的微笑。

「但吳姬善解人意，在華陽夫人面前，不但不恃寵而驕，反而低聲下氣，像女婢對待主母一樣，美麗的女人本來就惹人憐，再加上她如此溫順，華陽夫人對她也很愛憐。她最厲害的是在華陽夫人面前，絕口不提要立子傒爲嫡嗣的事，而是暗中向安國君加壓，由安國君向華陽夫人提出，據說華陽夫人也曾心動過，只是說子傒還小，過幾年再說，如今子傒已十六歲，受完了各種嗣子教育，安國君再提出，華陽夫人就無話可說，好在我們已攻心爲上，先要異人在華陽夫人心中佔了相當地位，否則我們鬥不過子傒。」

「這是個勁敵！」呂不韋嘆了一口氣：「我們得加快行動，否則怕來不及。」

「明晚見了陽泉君後，我要華陽夫人令姊儘快安排賢弟直接去見華陽夫人。」

「這樣最好。」呂不韋說。

「賢弟這次來帶了什麼特別禮物給這兩方面？一般金玉珠寶只怕打不動他們。」

「哦，除了一般珠寶外，我帶了盈尺白璧一雙，價值連城，這樣大而質好的璧，我敢擔保秦王後宮也找不出多少，這是準備送給陽泉君的。」呂不韋胸有成竹的說：「至於華陽夫人那邊，我帶了一襲白狐裘，毛質純美，沒有一根雜色毛，原是匈奴國王贈給趙王的禮品，如今在我手上，據行家說，天下能和此裘相比的，只有秦王後宮幸姬身上的那一襲。」

「華陽夫人一定會喜歡，那華陽夫人令姊呢？」

「幸虧我想到意外贈出，我還帶了一襲紫貂裘，雖比不上白狐裘，但也非常難得了。」

「賢弟設想周到，不愧是定國立君之才！」白翟讚嘆的說。

「其實，白狐裘雖然珍貴，卻不見得能完全得到華陽夫人的歡心，我另帶了一件禮物，一定會使她感動！」呂不韋神祕的說。

「啊，賢弟原來還另外藏有法寶，快告訴愚兄，到底是什麼好東西？」

「異人新納姬妾是楚國人，你是知道的。」

「當然，我還知道是你的弱妹，那又怎樣？」

「臨行前，玉姬花了數月功夫繡成了一幅百鳥朝鳳的湘繡獻給華陽夫人，楚人楚繡，華陽夫人身處異鄉，看到故國刺繡，思及同爲楚人的玉姬的孝心，還能不感動嗎？」

「果然是一項祕密法寶！哪怕華陽夫人不感動！」白翟拍手哈哈大笑。

呂不韋也跟著豪放大笑。

「拿來！」白翟笑著信手向呂不韋說。

「什麼拿來，那幅湘繡？」呂不韋不解的問：「放在行囊之中，命人拿來就是。」

「不是湘繡，是我的禮物。」白翟半開玩笑的說。

「哦，我早就爲大哥準備好厚重禮物，只是要等事成以後才拿得到。」呂不韋語帶玄機。

「當然，愚兄也知道一切要等事成以後，但能不能先告訴我，好讓我更有精神辦事？」

白翟也話中有話。

「異人公子曾向我承諾，假若我們大事能成，請得分秦國與我共之，我能分到的，亦請大哥隨意取之。」

「只要不『狡兔死，走狗烹；飛鳥盡，良弓藏』就好了！」白翟喟然一嘆：「善始者眾，好成者少！」

「大哥怎麼這樣說！」呂不韋正色的說道：「你我推心置腹，願上天見證今天我對大哥所許下的諾言！」

「我是開玩笑，賢弟不必認眞。」

兩人又談了一些行事細節後，東方已見曙光，天都快亮了。

呂不韋告辭回到臥室，解衣上床，立即睡著了。

他做了一個怪夢，夢見自己獨自在野外登山，登至山頂，四周眺望，風景絕美，尤其眼觀腳下，群山重疊，白雲飄湧，更有著不可一世的感覺。但忽然間天空滿佈烏雲，雷電交加，傾盆大雨倒了下來，也正是因爲獨立山頂，連想找個躲雨的地方都沒有，他著急徬惶，不知所措。

閃電更亮，雷聲更緊。

他驚醒過來，心頭餘悸仍在，心跳得很厲害……。

5

「賢弟醒醒，賢弟醒醒，怎麼白天也會做惡夢？」他耳邊有人說話，並且在用手推他。

他惺忪的睜開眼睛，只見陽光已從南窗照射進來，白翟滿臉驚惶的站在床前。他有點歉意的說：

「剛才我敲了很久的門，賢弟只是驚叫而不醒，只有自己推門進來。」

這時呂不韋才完全清醒過來，看到白翟著慌的樣子，心頭浮起不祥的感覺，他連忙問：

「大哥如此慌張，有什麼急事嗎？」

「事情有變！事情有變！」

「大哥請坐，有事慢慢商量應付，」呂不韋看到白翟張惶，他反而鎮靜起來：「大哥請稍待，讓我先梳洗一下。」

白翟發現自己的失態，沉默的坐了下來。

這時侍僕端水進來，呂不韋一邊慢條斯理的梳洗，心裡卻也非常緊張，一定出了緊急情況，否則一向沉著的白翟不會張惶到如此程度。

果然，沒等他梳洗完畢，白翟就開始說話了：

「一早陽泉君就派人來通知，因爲他有緊要政事，所以今晚的約會要取消！」

「據我所知，他只是秦王的弄臣，也會有緊急要公需要處理？」呂不韋有條不紊的打散頭髮梳理，然後挽成髻，侍僕要上前幫忙，他作手勢要他退到一邊去。他對著銅鏡問：「他說過約會改在什麼時間？」

「就是取消，再要約，得等他的通知，」白翟悻悻然的說：「約會無限期延期。」

「啊！」呂不韋一失神，手上的玉梳掉在地上跌成粉碎。

「這個食言而肥的傢伙！」白翟又繼續恨恨的說：「他根本沒事。據我自他身邊親信得到的消息，昨天吳姬派人送了大批禮物到他府中，請他在主上面前美言，據說，安國君已決定立子傒爲嫡嗣，這幾天就會將立嫡書上呈，聽候主上批准。」

「哦！」呂不韋有點天旋地轉的感覺，看樣子是遲了一步，功虧一簣，幾個月來的心血，去了將近一半的家產，全都白費了！

但他告訴自己，要冷靜，在事情未完全絕望以前，他要繼續奮鬥。

白翟在說些什麼，他一點都沒聽進去，他在心中很快評估出，事情還有挽救餘地，首先他必須見到陽泉君和華陽夫人，然後再相機行事。

他梳洗完畢，外表裝得若無其事，在白翟對面坐下，突然發問說：

「今天在什麼地方可以找得到陽泉君？」

「我剛才說話，賢弟一點都未聽進去？他今天根本無事可做，而是要到上林獵鹿。」

「行獵應該是春秋的事，冬天也能獵鹿？」呂不韋似乎並不著急，還問著這類的閒話。

「按秦國律令：春天為百獸交配懷孕之期，禁獵；夏秋為幼獸出生哺乳之期，禁獵；到了冬天，幼獸已可脫離生母自立，才准行獵。」

呂不韋暗暗讚佩，秦國所以強盛，有它的道理。他又盤算了一會，毅然的對白翟說：

「今天我必須見到陽泉君和華陽夫人兩者，我認為事情不是不可以挽回，只要安國君未正式宣佈立嫡以前，我們都要努力爭取。」

「陽泉君取消了約會，我們如何去見他？」

「大哥不必管這個，你只要連絡華陽夫人令姊，最好能安排在今晚見到華陽夫人。還有，平日代大哥到陽泉君處連絡的是誰？」

「一個老僕白順，你為什麼不先見華陽夫人，她才是主角，何必去找陽泉君碰釘子？」

「大哥，事情緊急，華陽夫人要見，但先找到陽泉君乃是釜底抽薪根本之計，只要王后反對，安國君即使已將立嫡書上呈，還是可以駁回的。」

「你要怎樣說動陽泉君？」白翟擔憂的問。

「現在我還不知道，但船到橋頭自然直，到時候該說的話就會像活泉似的湧出來。」

「我相信你辦得到！」白翟緊握住他的手。

「還有，大哥，你要白順準備兩匹最好的行獵健馬和全副行獵裝具。」

「你要做什麼？」白翟驚詫的注視著他。

「陪陽泉君行獵！」呂不韋微笑著說。

「行獵？」白翟先是瞪大眼睛問，隨後哦了一聲說：「我明白了，我會要人立刻準備好。」

6

朔風凜冽，草木枯黃，雖然只是仲冬，但疾風吹在臉上，就已像刀割一樣。

呂不韋和白順全副獵裝，肩掛箭囊，手執強弓，策馬急馳。呂不韋騎的是白翟最心愛的大宛汗血馬，通身雪白，找不到一根雜毛。白順騎的則是一匹黑馬，也是神駿非凡。

白順策馬在前帶路，呂不韋在後緊緊跟隨。到達上林邊緣，白順勒馬，跟隨到呂不韋後面。

只見上林佔地甚廣，一片幽深，雖然大部份草木都已凋枯，但松柏等類長青樹相雜其間，依然顯得蒼鬱，行獵小徑曲折通幽，兩旁修理得甚爲整齊。

上林未設圍牆，但設有入口及通車大道，貫穿整個上林範圍。入口處立有一塊石碑，上刻著拳大的篆文：

擅入上林行獵者死！
自行闖入者按律刑！

「進去就是上林了，呂先生，我們一身獵裝，進去按律就是處死，先生是否要再思一下？」

這時，身邊忽然響起一陣號角聲，只聽得林中人聲、馬嘶聲沸騰，草木搖動，到處發出松葉的沙沙聲，不知有多少小獸正在逃躲。

呂不韋只作了短暫的考慮，這是唯一能見到陽泉君的機會，良機不能放過。於是他轉頭對白順說：

「你已帶我到了地頭，陽泉君行獵隊伍龐大，不怕找不到他，你先回去告訴你家主人，說我申時以前一定會趕回來，要他將那方面的事積極作安排。」

「但是……」白順想說點什麼。

呂不韋沒等他將話說完，就已策馬進入上林，往號角聲響處狂馳。

白順只得掉轉馬頭，往回家的路上奔去。

呂不韋在上林車道上策馬急馳，號角聲越來越近，遠遠看到一處高地站著一群騎者。一具黃色華蓋下，一個頭戴高冠、身穿紅袍的人，正在指手劃腳說著些什麼。高地周圍樹林中，無數兵卒。有的帶著獵犬，有的拿著木棍，在草叢中拍打追趕，將一些獐兔之類的小動物趕到高地腳下，那群在高地上的騎者就紛紛用箭射，再由獵犬銜拾回來。

「這種獵法倒也新鮮，只是有什麼樂趣？」

他雖然沒見過陽泉君，但自覺判斷高地上穿紅袍的那個人一定是。

他轉過馬頭馳上一條行獵小徑，直對高地奔去，沒馳出多遠，只聽到身後有人大聲喊叫：

「來人是誰？敢在上林馳馬！」

也有人喊道：

「趕快退回去還來得及，擅入上林的平民有罪！」

「你們看他一身行獵打扮，分明是想偷獵！趕快抓住他！」也有人在如此喊。

「下馬！下馬！」

「擅入上林行獵者死，這個人好大的狗膽！」

「看他衣裝華麗，像是有來頭的人！」有人這樣喊。

「不錯，看他的服裝打扮，不像是秦地人！」

「對了，他騎的是白大掌櫃的汗血寶馬，一定跟白家有關係。」有人說。

「馬跑得好快，用箭射！」

「不要亂來，我認得出那是白家的寶馬！」先前那個聲音在大聲阻止。

在樹林草叢中追尋野獸的眾兵卒，紛紛轉移目標，圍向他來，還有幾個人上馬來追捕他。

不愧是寶馬，腳程之快有如掣電，呂不韋騎在馬上，只聽風聲呼呼，人聲、樹影就像在倒退一樣，他忘掉一切，眼中只有高地上那個穿紅袍的人，心中只想著要如何說動他。

「颼」的一聲，一支響箭在耳邊擦過，發出呼呼之聲，這不是開玩笑，聽響聲就知道是秦軍特有的戰爭利器——秦弩所發出的。

呂不韋想停馬，但看看高地就在眼前，紅袍人的臉都看得清輪廓了，他不知道該不該就此放棄，正在猶豫，白馬衝刺得更快。

「颼！颼！颼！」後面的弩箭像飛蝗一樣連續發射，不過前前後後擦身而過，距離射中他總差那麼一點。

呂不韋早聽說秦國禁衛部隊虎賁軍訓練精良，尤其是在弩弓上，顯然他們是在將他作為獵物圍捕戲弄，否則早就把他射成刺蝟了。

一想到這裡，他更是加緊催馬衝向山坡。

忽然白馬一個人立嘶叫，將他摔下馬背，原來寶馬性靈，雖然在疾馳中，仍然發現路中兩樹間出現了一人多高的絆馬索，牠緊急人立刹住下來，可將呂不韋摔得鼻青臉腫。

路兩邊草叢裡跑出來十多名兵卒，將他五花大綁起來，推著向高地上走，有人還大聲罵著：

「看你人長得精明相，怎麼無事往上林闖，還想驚動君侯的虎駕。」

摔得頭昏眼花的呂不韋聽到「君侯」兩個字，忘了身上疼痛，只顧連串的問：

「是不是陽泉君殿下？」

「除了他，還有誰敢在上林擺這種陣勢行獵！」一個兵卒笑罵著。

「老小子，算你命大，今天要是大王行狩獵，你早就變成了箭靶，哪還能活著講話！」另一名兵卒推著他走。

呂不韋正被眾兵卒推拉著上山坡，忽然山上衝下一名傳騎，口裡大聲喊道：

「不得對呂先生無禮，快鬆綁！」

眾兵卒又手忙腳亂的為呂不韋鬆綁，帶過來他的白馬讓他騎上。傳騎向他拱拱手說：

「我家君侯有請，請跟我來。」

「陽泉君知道我是誰？」呂不韋忍不住問。

「閣下是呂不韋先生吧？我家主上就是請你！」傳騎笑著說。

呂不韋策馬跟著他上坡，心裡卻在納悶，陽泉君不認識他，怎麼老遠就知道是他？

7

陽泉君遠比他想像中年輕，廿多歲卅不到。他身穿紅色錦袍，腰繫玉帶，身佩長劍，不像是行獵，倒像是出巡。他生得非常英俊，面白而未留鬚，遠看像是個剛行冠禮不久的少年。

呂不韋趕快下馬，急走到他面前，正想下跪行禮，陽泉君早就跳下馬來將他攔住。

「呂先生不必多禮，遠來是客，我們以賓主之禮相待吧。」

兩人行過賓主之禮後，陽泉君向一名侍臣說：

「我和呂先生到那邊坐坐談話，你們繼續行獵，至少也得打頭水鹿或是山豬什麼的回去，不然回去眞沒面子。」

「是。」侍臣連聲答應。

他慢慢踱向山坡一棵大松樹下，呂不韋在身後跟著。兩人在松樹下一塊大石頭上坐下，陽泉君先開口笑著說：

「呂先生不感到奇怪，爲什麼我還未看清你的人，就知道是你？」

「君侯聰明，非常人所及。」呂不韋順勢奉承一句。

「倒不是孤家聰明，而是認識那匹白馬，白老兒平時碰都不讓別人碰一下，今天他倒捨得讓你騎來，還險些作了箭靶。」陽泉君捉狹的笑了起來。

呂不韋發現他笑聲甜美，笑起來臉上的表情像天眞無邪的孩子，同時透發出一種近乎女性的嫵媚，難怪秦王寵得他竟敢在上林大張旗鼓的行獵。

「此人自小在深宮長大，不知天高地厚，雖然貪貨，但只以利誘，尚嫌不夠，還得加以威脅。」呂不韋暗暗在心中找到了主意。

「這匹大宛汗血寶馬，日行千里，夜行八百，據說急奔力竭，會出紅汗，汗乾體力立即恢復。連產地大宛，萬匹馬中也難找到一匹。」

陽泉君侃侃而談馬經，呂不韋卻在心中接連叫苦，但又不敢打斷他的話頭，他只得順勢討好的說：

「君侯博學，臣今天算是一長見聞。」

「這種馬雜色馬尚偶爾見到，純白色更是十年難得一見，」經呂不韋一奉承，他談馬談得更有勁：「此馬本來是西域獻給大王的，因爲性情剛烈，主上年事已高，不適合騎乘這種馬，要是用來駕乘，卻又找不出同樣的四匹，同時用這種寶馬駕車，也未免暴殄天物，是不是？」

陽泉君又是一笑，呂不韋心頭跟著一震。

「孤曾向大王要過這匹馬，大王說這匹馬既然不適合他騎，就更不適合我，大王愛惜孤家，怕我出事，」陽泉君繼續說：「他說，烈馬應該配勇將，所以就賜給了武安君白起，武安君捨不得讓牠上戰場，就轉給了他兄弟白翟飼養。」

陽泉君似乎口說乾了，用舌頭潤了潤他殷紅得像塗了胭脂的嘴唇，又說下去：

「這樣一來，孤家可倒楣了，本來年年賽馬，孤的那匹烏騅，三年都連得冠軍，為我贏得不少采頭和面子。這匹汗血馬去年一上場，竟將孤那匹烏騅丟在後面三十多丈，呂先生懂不懂賽馬？」

「齊趙之地，也有賽馬勝事，臣倒是沒參加過。」好不容易輪到呂不韋說話，但仍然拉不上正題。

陽泉君以手上馬鞭一拍腳上皮靴，帶點惱怒的說：

「呂先生，三十丈！平日賽馬相差距離都是以馬頭和馬身計算！明年三月賽馬盛會，眞希望呂先生能參加。」

說到這裡，他似乎發覺到呂不韋在等他將話納入正題，他不耐煩的站起來，皺了皺眉頭說：

「假若呂先生是爲安國君立嗣的事而冒死闖上林，孤認爲不值得，因爲安國君已決定立子傒，立嗣書幾天後就會上呈大王。」

「這件事雖然重要，但還不值得臣冒死闖上林。」呂不韋微笑著說。

「什麼？」這下輪到陽泉君驚詫了。他直視著呂不韋，滿臉懷疑的問：「你來還有更重要的事？」

「是的，一來是奉白馬主人之命，知道君侯在此行獵，特來獻馬爲大王助興。」

「什麼？你說白老兒將馬送給孤家？」陽泉君簡直不能相信自已的耳朵。

其實，剛才見到陽泉君如此渴望得到這匹馬，呂不韋就在心中盤算好了，這樣嗜馬若狂的人，送他一匹好馬，比送他什麼稀世珍寶都來得對味，等他高興領情，再以他本身的利害關係來說動他，不怕他不就範。至於白翟那邊，回去再說吧！看樣子白翟不是個愛馬若痴的人，總不會爲了一匹馬和他翻臉，儘管這是匹汗血寶馬。

「是的，臣的來意正是如此。」呂不韋仍然坐著未動。

陽泉君轉了幾步，又在石頭上坐下來，比剛才靠近了許多。呂不韋暗暗在心中高興，看情形大宛馬已開始產生效應。

「還有第二件事呢？」陽泉君微笑著問：「假若是安國君立嗣的事，孤只能說不是絕無辦法，但想挽回很困難！」

呂不韋聽到他已改口，內心雀躍不已，但他表面裝得若無其事，他搖搖頭說：

「臣不是爲異人公子，而是爲了君侯的安危！」呂不韋特別加重「危」這個字的語氣。

「孤的安危？」陽泉君仰天大笑，神情就像聽到什麼笑話的孩子：「孤會有什麼危險？尤其是安國君立嗣是他家的事，跟孤有什麼關係？」

「君侯是否能耐下性子回答臣幾個問題？」

「請講，請講。」陽泉君移坐得更近，一副洗耳恭聽的模樣。

「大王今年高壽多少了？」

「哦，大王十九歲登基，今年是四十七年，算來應該是六十六歲了，而且近來也體弱多病。」陽泉君臉上出現了憂色。

呂不韋心想，看樣子他對秦王倒是有點眞感情，他又繼續明知而故問：

「不知王后生了幾位公子？」

「哦，不說公子，連公主也未生一個。」

「所以君侯名義上雖然是王后的幼弟，實際上大王和王后將君侯視同愛子。」

「這倒是眞的，」陽泉君面有得色：「自小是大王和王后將我撫養成人的。」

「因此大王對君侯不時行賞，擄自各國及匈奴戎狄的奇珍異寶，先要君侯挑選自取，而且對君侯的建言也是言聽計從，很少拒絕的。」

「這是主上和王后的錯愛。」陽泉君益發洋洋自得。

「所以君侯駿馬盈外廐，美女立後庭，朝中尊貴，多出君侯門下。」

「不錯。」

「君侯知道嗎？這就是君侯的危險所在！」呂不韋加重語氣說。

「什麼？」陽泉君驚詫得跳了起來，直瞪著呂不韋：「你說什麼？」

呂不韋也毫不畏懼的和他對視。

「你——」陽泉君嘆了一口氣：「說下去！」

「臣是忠心耿耿，作剖腹臟腑之言。旁觀者清，當局者迷，臣是不忍見君侯執迷自誤。」

呂不韋義正詞嚴的說：「君侯不怪，不韋才敢說下去。」

「說都說了，乾脆說完，免得令人煩悶，說下去吧。」陽泉君笑了，天眞無邪孩子似的微笑。

「反觀太子安國君，門下無貴者，聲色器用，也一切都不如君侯。」

陽泉君想了一會，沉吟的說：

「不錯，事實如此。」

「大王春秋高矣，一旦山陵崩，」呂不韋嘆口氣說：「太子用事，君侯就危險了！」

「這倒是眞的！」陽泉君自言自語。

「所以君侯應早謀對策。」

「對策？如何謀法？」陽泉君顯得有點徬徨：「先生有何妙計，請直言無諱，用以教我。」

呂不韋見他已上鈎，心中暗自高興，但表面仍裝出慷慨激昂、士爲知己者死的忠誠模樣。

他語氣懇切的說：

「立子傒，對君侯有害；立異人，對君侯則利大無比！」

「什麼理由，分析給孤聽聽。」陽泉君認眞的說。

「子傒年幼，生母得寵，一旦安國君當國，子傒爲太子，理所當然，與君侯沒有一點關係。甚至嫉妒君侯得寵，一旦繼位後，反而會加害王后及君侯之家。」

「有道理。」陽泉君不斷點頭。

「立異人情形則完全不同，異人生母不得寵，人且遠質趙國，自知立嗣無望，假若君侯說動王后，助他一臂之力，他將感恩圖報，一旦他得國，王后無子等於有子，君侯家也就高枕無憂了。」

「先生言之有理，但安國君已作決定，要如何挽回?立嗣本是他家的事，大王批准，只不過是一項程序。」

「在立嗣書猶未呈遞批准以前，想阻止並不難。」呂不韋胸有成竹的微笑。

「什麼高策?說來聽聽!」陽泉君好奇的想聽下文。

「異人賢名滿天下，這早已傳到大王及王后和安國君及華陽夫人的耳中了。」

「不錯，孤就曾親自聽到主上有次對王后說，此子年紀輕輕，竟能靠自己的力量，得到天下的讚揚，不容易!」

「王后如何回答?」呂不韋問。

「王后當時說，眞可惜，這孩子不受太子的喜歡。」

「那就對了!」呂不韋驚喜的說:「王后早有意立異人了，只是立嗣及大王和太子的事，她不便參加意見而已，君侯只要將臣今天這番話提醒王后，她就不會不說話了。」

「但安國君那方面怎麼辦?」陽泉君搖搖頭說:「這是安國君的家事，王后也不容插手。」

「安國君那兒，臣自有對策，」呂不韋以右拳擊左掌說:「華陽夫人無子，對子傒及生母得寵不會沒有怨懟，假若讓王后召華陽夫人入宮，讚誇異人賢名，再暗示華陽夫人收異人爲子，此事就成了。」

「假若華陽夫人不懂暗示，甚至不理暗示，那該怎麼辦？」陽泉君臉上竟充滿了憂色。

「那怎麼會？王后和華陽夫人是同病相憐啊！只要王后一暗示，涉及自己利害，華陽夫人向安國君爭取收異人爲子，乃是必然的事。只要異人爲華陽夫人收認，那名正言順，他就是嫡子，嫡子立嗣，乃是順理成章的事。」

「妙啊！我怎麼沒想到這點，先生果然高明！」陽泉君高興得跳站起來，想想他也應該主動點：「這樣好了，華陽夫人由先生再去說動一番，王后這方面由孤進行。」

「敬領鈞命，君侯請放心。」呂不韋也站起來行禮說。

「事情談完了，我們該打獵了，看看他們獵到些什麼？」

陽泉君一舉手，近侍就將他和呂不韋的坐騎牽了過來。

陽泉君跨上白馬，笑著向呂不韋說：

「你全身獵裝，似乎早有意陪孤打獵，現在我們就將馬換過來，你騎孤的馬，我們比賽一下行獵，也正好讓孤試一試寶馬腳力！」

話未說完，他已揚鞭馳馬，絕塵而去，呂不韋飛身上馬追趕，很久才追上，那是陽泉君勒馬含笑在等著他。

經過這場行獵後，他們更由盟友進步成朋友。

呂不韋告辭回去時，太陽已半沉在西山頂，射出彩霞萬道，東方的暮靄逐漸聚合。

但在呂不韋眼中，這不是近黃昏的夕陽，而是希望無限、剛剛升起的旭日。

8

華陽夫人要侍女將那幅「百鳥朝鳳」湘繡掛在臥室裡，她越看越喜歡。

圖中繡的是一位著王后裝的美婦人在操琴，面目像極了她自己。對面的高大梧桐上停棲著一隻鳳凰，樹周圍飛滿了各式各樣的鳥，在朝拜鳳凰，也是在朝拜這位美婦。美婦人背後侍立一個年輕公子——異人，孺慕神情躍然布上。

繡像相當大，美婦像有眞人大小，繡得面目栩栩如生，衣裙的稜角褶痕都顯示了出來。

圖中是採用了文王操琴引來鳳鳥的故事，只不過將圖中的文王換成了她。

「這孩子眞是有心人，隔了這多年，他還淸楚的記得我的模樣神情，連左耳垂上那顆硃砂痣他都記得，可見傳言說他每日哭泣思念我，這不會是假的了。」她在想。

難得繡這幅畫的玉姬也是楚人，而且身世也和她同樣可憐，自小父母雙亡，流落到異國爲歌伎，因爲色藝受到貴人的欣賞納爲姬妾。

她已經是修成了正果，由姬妾扶正爲夫人，如今又成爲太子妃，將來更會成爲母儀全國的王后，玉姬會怎樣呢？是否她們前半段的路相同，後半段也會抵達同一目標呢？

聽呂不韋說她人長得極美，而且面目也有點像她，看這幅繡像，更想得出她的慧心巧手。巧手和慧心應該是相連的，她在少女時代也是刺繡巧手，設計繡出的湘繡，人見人誇。後來學琴學歌也是如此，眞的是心慧百事通，手巧的人做什麼都巧。

也許玉姬目前還不如她，但有一件卻遠勝過她，她懷孕了，而她自十五歲受幸，二十多年都無法有孕，如今更是絕望了。

她本來不願管立嗣這件事，丈夫姬妾多，孩子也多，尤其是公子就多達二十多個，按照秦律和家規，這也都是她的兒女，她不想偏心哪個。至於那些姬妾爭寵，千方百計爭宿夜權，她更覺得好笑，爲了男人一個關愛眼神，或是說一句：「今晚留在妳那裡吧！」就用盡心機，驚喜若狂，或是同儕之間反目成仇，這眞是身爲女人的悲哀。

她從不爲這些向丈夫奉承屈迎，現在如此，年輕時更是如此。她端莊冷漠，不假丈夫以辭色，丈夫反過來尊敬她、體貼她，處處在討她的好，這也許就是男人犯賤的天性吧！

當然她明白，尊敬討好並不等於愛，男女之間熱烈瘋狂的愛通常排斥理性，但尊敬就是理性的疏遠，而刻意的討好，更是理性的虛僞，這和愛是背道而馳的東西。

丈夫也常說，她像個玉石雕成的神像，美雖然美，卻只可供在神桌上，不可拿在手上褻玩。她知道他下面一句話沒說出來：「妳無法引發男人對妳痴狂的愛！」

她需要那樣痴狂專一的愛嗎？當然她需要！不僅是男女間的，而是任何關係間的關懷和專注。她自小父母雙亡，和唯一的姊姊相依爲命，她專心一意的眞愛她姊姊，但她感覺得出來，姊姊對她並不是眞愛，否則不會同意舅父在她十歲時就賣掉她，而這些年來每逢表現一點親情以後，接著很明顯的就有所要求。

異人不一樣，以前只是因爲她可憐他生母不受重視，稍微多照顧偏袒他一點，想不到離開十年，他會日夜思念她，爲她祝禱，卻又不讓她知道，這孩子多使人感動！

還有玉姬，和她有同樣淒涼身世遭遇的楚國同鄉，竟捨得花幾個月的時間爲她刺出這幅湘繡，眞難爲她了！

這才是眞正愛她、關懷她的人，只是愛戀她而對她一無所求的人。

這由他十年日夜流涕思念，每天爲她祝禱，卻不讓她知道，以及呂不韋今天見到她，出乎她的意料，竟隻字未提立嗣的事就看得出來。今天呂不韋見到她，只說了異人的一些近況，最後隱約透露出異人思念故國，更渴望能回咸陽承歡在她和父親膝下。

本來她有心理上的準備，在呂不韋爲異人遊說時，委婉的告訴他，她不想管這件事，而且就是想管，恐怕也無能爲力。以子傒生母吳姬受專寵的現況，以及安國君下了決心就絕不改變的性格，她說了無益，反而會自取其辱，因爲安國君會告訴她，所有的兒子在名義上都是她的兒子，生母只不過是代她生他們而已，她用不著偏袒誰。同時，他在和她討論立嗣的時候，她表示過她沒意見，而呂不韋來了以後，她又說想立異人，這反而會激起他的反感，只有使他立子傒的決心更堅定，因爲他會怕其中有什麼陰謀。

但呂不韋絕口不提這件事，她準備好的話一句也說不出來。反而是呂不韋呈上這幅湘繡，侍女展開讓她觀賞時，淚瀰漫了她兩眼，當呂不韋輕語解釋玉姬的身世和遭遇時，她的熱淚竟盈眶而出，滴濕了繡布，她在內心狂呼：

「我一定要爲這對可愛復可憐的孩子做點什麼！」

她在室內轉了幾步，回身時，目光又被那幅湘繡所吸引，她細細的賞玩著異人繡像臉上的孺慕神情，心中湧起一陣溫馨，兩眼在不知不覺中又潤濕了，她口中喃喃著：

「這對可愛的孩子，我眞的應該爲他們做點事！」

接著，她又想起昨天王后召她入宮的事。

9

在用過中膳後，王后要她單獨陪她在上苑迴廊上走走，命那些宮女遠遠跟在後面，她明白她有私密話要和她談。

她輕扶著王后，看到她出現青筋的手和脂粉都已掩蓋不住的眼角紋，忍不住在心中想：「王后還只五十歲出頭吧？竟就老成這樣！而我也是四十多的人了，再過幾年就會和她一樣，女人眞是容易老，而身在王家，姿色又是唯一抓住男人心的本錢。」

她不禁有點傷感起來。

身旁王后在輕聲說話：

「聽說太子要立子傒為世子。」

「是的，立嫡書這幾天就會上呈主上。」她早料到王后會提這件事，卻想不到會這樣單刀直入的問，她只有如此不經考慮的回答。

「立世子的事，太子和妳商量過沒有？」

又是開門見山的問，她只有實話實說的回答：

「曾經商量過，臣媳只表示沒有什麼意見。」

「五年前立太子時，老婦卻是在主上面前力爭過的。」

「臣媳知道，太子也在臣媳面前一直表示感激母后的恩德，只怕今生報答不完，因爲這是惠及子子孫孫的大事。」

「老婦並不希望你們感激，說實話，老婦看中安國君，一半是爲了看中妳端莊賢淑，可以母儀全國，所以緊追不捨，力爭不放。」

「臣媳知道當時主上意不在安國君，朝中宗室大臣很多人都反對，全靠母后堅持。」華陽夫人由衷感激的說。

「那這次立世子的事，妳爲什麼不力爭堅持？」王后瞪視著她，兩目如電，逼使華陽夫人低下頭來：「主上年事已高，安國君年紀也不小了，有五十歲了吧？」

「才四十六。」華陽夫人細聲回答。

「這主要是他貪酒好色，姬妾一大堆，身體虛弱得哪像四十多歲的人！妳也得管管他。」

「臣媳勸過，但是沒有多大效果。」華陽夫人語氣中充滿委屈。

「看樣子子傒很快就會當上秦王，」王后嘆了一口氣，厲聲的說：「子傒生母吳姬煙視媚行，一副娼妓相，怎配當太后，母儀全國！」

華陽夫人插不上口，只得將頭低得更低一點，表示對她的話有反應。

「你我同病相憐，色衰無子，空有一個正室的名份，但妳就應用這個名份爲自己的晚年作打算。」王后語氣轉柔：「我力爭立安國君爲太子，剛才說過一半是爲妳的端莊賢淑，還有一半是爲了老婦自己。安國君早年喪母，由老婦一手帶大，就跟我親生的一樣，我雖無子，安國君就是我子，不立他立誰？立別人生的兒子，一旦成爲秦王，他的生母因子而貴，也會尊奉爲太后，而且是有實權的太后，妳這個無權而又和她爭過丈夫寵愛、甚至是責罵過她的太后，際遇之慘，不用想像也會知道！」

「……」華陽夫人仍然無話可對。

「妳爲自己打算過沒有？」王后用憐惜的口吻問：「妳也是四十多歲的人了，還有生育的希望沒有？」

「臣媳已經絕望了。」華陽夫人細聲的說。

「而且安國君只是尊敬妳，但總是藉故不留宿？」

她的話像利箭一樣刺在她心上，她臉發紅，頭更低。

王后停止了說話，華陽夫人也沉默的扶著她走回室內，要進門時，王后突然轉臉向她說：

「聽說在趙質子異人有信使回來了。」

「是的，不過因安國君近日有事外出，他和臣媳還沒有接見過他，這個人名叫呂不韋。」

「呂不韋？趙國的巨賈，他肯爲異人當信使，眞不簡單，其實異人這個孩子也眞是異乎常人，靠自己的力量賢名滿天下，主上和老婦也有所耳聞。妳和安國君應早日接見他，問問異人在趙國的景況。」

「是，臣媳遵命。」華陽夫人柔順的答應。

「異人這孩子也眞可憐，輾轉各國當質子，一去就是十年，母寵子愛，生母不受寵，他就流落一至於此！」王后深深嘆了一口氣，有所深意的看了華陽夫人一眼，繼續說：「妳該好好照顧他一下。」

「是的。」華陽夫人仍然柔聲而應。

告辭臨行，王后又意味深長的叮囑了她一句：

「能爲自己打算的時候就該爲自己打算！」

10

「能爲自己打算的時候就該爲自己打算！」

王后這句話，暮鼓晨鐘似的在空氣中迴盪，震動她的耳膜，也激震了她的心靈。是該爲自己作打算的時候了，色衰無子，女人有什麼比這更悲哀！

女人的青春消逝得何其迅速！窗前跟姐姐學刺繡的情景彷彿昨日；汨羅江邊，眾多女孩不知愁苦，仿效著投江的屈原大夫披髮吟行，她們用稚音唱出〈天問〉：

……
日月忽其不淹兮，
春與秋其代序。
惟草木之零落兮，
恐美人之遲暮。
……

當年散髮結辮的小女孩，如今已變成遲暮的美人，同伴的歌聲卻依然縈繞耳畔，而且是那樣清晰。

歌聲讓她魂遊故國，讓她重溫昔日情景。雖然其中滿是坎坷和不幸，但年輕總是好的，在青春的光照下，坎坷激發鬥志，不幸引來希望。

清越淒厲的歌聲也將她拉回現實，她發現到自己站在那幅湘繡前，不知站了多久。

繡像中她仍青春美麗，異人則是滿臉的孺慕之情，片刻間她作了決定：

「我一定要爲這兩個孩子作點什麼！」

「太子駕到！」臥室外的侍女清脆的喊著。

等她聽到喊聲時，安國君已笑嘻嘻的進到屋內。

他穿著一件黃袍，頭戴黃金束髮冠，瘦削的身體似乎承受不起厚袍的重量，乾枯憔悴的臉，依稀殘留著過去俊美的痕跡，只是蒙罩著一股晦暗之氣，一看就是酒色過度，夜生活過得太多的人。

「賤妾未能遠迎，太子恕罪！」華陽夫人連忙轉身跪倒。

「老夫老妻了，還來這一套，」安國君微笑著將她扶起，端詳她很一會，驚訝的問道：

「夫人哭了，什麼事值得妳流淚？」

話未說完，他就發現到牆上的湘繡，他偏著頭看了一會，沒有多大感覺的問：

「這幅湘繡是誰送來的？畫中王后的臉好像妳，那侍立身後的公子看來看去好像很面熟，卻一時想不起在哪裡見過。」

「自己的兒子都不認識了！」華陽夫人忍不住噗哧一下笑了。

「我的兒子？哪個兒子？夫人，妳破涕爲笑的神態眞是美，有如朝陽中帶露的芙蓉！」

「這把年紀了，還是那副不正經的樣子！」華陽夫人偷偷的擦掉眼淚，裝著生氣的說。

「我的兒子？哪個兒子？我眞的一時想不起。」安國君一邊嘟嚷一邊自行在几案前坐下。

華陽夫人暫時不回答他的問題，要他費點神好好想想，她也在他對面坐下。

「兒女多了也是麻煩，過年過節全來問安時，常會張冠李戴弄錯名字。夫人，我們兒女是三十八個，還是三十九個？」

「四十一個！」華陽夫人沒好氣的說：「兒子是二十八個。」

「二十八個兒子，很多年齡相近，像貌也差不多，妳讓我怎麼分得清哪個是哪個？」安國君語帶委屈的說。

「只有那一個兒子，恐怕你連頭髮都數得出來！」她諷刺的說。

但說完話，她立即後悔起來，往日她從未用過如此語氣說話。

「今天妳怎麼了？」安國君驚詫的注視著她：「又是流淚又是生氣的，誰得罪了妳？告訴我，讓我嚴懲。」

她沉默，看到他縱慾過度的瘦弱身體，王后的話又在她耳邊響起：

「看樣子子傒很快就會當上秦王！能爲自己打算的時候就該爲自己打算！」

不知爲什麼，她突然悲從中來，淚水泉似的湧了出來。

「怎麼又哭了?」安國君憐惜中帶點不耐的說:「這幾個月我到哪裡去睡,總是有人爲立嗣的事哭著嘀咕我到天亮,只有到妳這裡來才勉強找個耳根清淨,想不到今天妳也是哭哭啼啼的,」說完話他嘆了一口氣,拉著她的手說:「來,坐到我身邊來,好談話些。」

她順從的坐到他身邊,他溫柔的執著她的手在臉上撫摸,輕輕吻著她的耳垂說:

「今天怎麼了?這幅湘繡是誰送來的?是不是觸畫生情,想起了什麼?」

她擦乾眼淚,娓娓道出今天呂不韋來訪的經過,以及異人和玉姬在趙國的景況。

「這孩子眞是有心,我的確虧待了他,」安國君感動的說:「我要想辦法調他回國,只是都是我的兒子,換哪個他的生母都會吵翻天。」他只感動片刻,接著又想到換質子的事,不但生母會吵,而且和父王及趙國全都有關連,換質程序更是繁複得不得了……算了!還是留他在那裡好了。

他心裡想到這些,嘴裡卻未說出來。

「異人送出去的時候,他生母夏姬就沒吵?」

「……」安國君無法回答,也不想回答。

「母寵子愛,異人十年前送出去的時候,夏姬根本連你的面都見不到,想吵也無從吵起!」她哀怨的說。

「……」

「母寵子愛，色衰見棄……」她喃喃自語，說到最後聲音哽塞，再也說不下去。

她長跪起來，又再俯伏於地，哽咽著說：

「賤妾十五歲得侍枕蓆，已二十八個年頭了，如今年老色衰，無能再侍奉殿下，只求太子賜妾別館一處，茅屋三間，容妾養老，於願已足。」

「妳怎麼了？」安國君一把將她由地上抱進懷裡，輕撫著她依然烏亮的秀髮，也聲帶感傷的喊著她的小名說：「湘妃，妳心裡想什麼，我真的弄不懂。妳十五歲將初夜交給我，我那年也只十八歲，什麼也不懂，交給妳的也是我的初次。這多年來，我廣置姬妾，那只是隨俗，只是享樂，能在我心中真正佔地位的只有妳！」

「但你縱慾過度，連母后都說你看上去不像四十多歲的人。」她憐惜的拍拍他憔悴的臉。

「母后，她什麼時候召見妳了？」安國君心頭一陣凜然：「她還說了些什麼？」

「她昨天召見我，我們談了很多有關異人的事，她說異人這孩子靠自已的力量賢名滿天下，眞是異乎常人，她還說……」她有意停住不說下去。

「說什麼？快告訴我！」

「是你自己要聽的，聽了別難過。母后說，子傒生母吳姬煙視媚行，像個娼妓，怎配當太后，母儀全國！」

「哦，我全然明白妳的意思了。」安國君氣得臉一陣青一陣白的。但他不敢發作出來，因爲他從不敢在華陽夫人面前發脾氣，何況是母后說的話。

「怎麼，眞生氣了？」她鑽進他的懷裡揉弄著，使他又彷彿回到他十八歲她十五歲那年。

「妳要什麼，求求妳直說，要立子傒是經你同意的，現在妳又想立誰？」他假裝生氣的說：「他們都是你的兒子！」

「我想……我想要自己的兒子。」她以袖掩面，低頭細語。

「那今夜孤家不走，幫妳生一個。」他戲謔的說。

這是他們在年輕時常玩的閨房遊戲，如今重玩，使他覺得時空倒流，他又年輕起來。

他按照遊戲常規，強拉下她掩臉的衣袖，不禁愕然，這次不是遊戲，她眞的是淚流滿面。

安國君沉默很久，最後冒出一句話來：

「明天召見呂不韋，我要爲妳立嫡！」

她撲進他的懷裡，眞心的笑了。

11

呂不韋這次來秦國，可說是大獲全勝，無往不利。

首先是他和白翟達成協議，由白翟負責將秦和巴蜀的煤鐵原料和木材、藥材運往趙國，呂不韋則負責向秦國提供鍊好的鐵和製成的武器，最終目標是提供冶鐵技術及大量冶鐵匠人給秦國，使秦國能建立自己的冶鐵工業，製造鐵兵器，逐漸淘汰較不銳利的銅兵器。

白翟介紹白起和他認識，並由白起將這項祕密協定向秦王報備。秦昭王大悅，除了賞賜他不少黃金外，還特地由白起轉交一道「天下通行符」，手持此符，不論是秦國全境，或是秦軍在各國的佔領地區，只要見到此符，就知道是大王的貴賓，應由當地地方或是軍事首長負責接待，維護安全，並護送到下一個要去的地方。

秦王本來要親自召見呂不韋，但因呂不韋不便公開露面，被各國在秦使節或間諜發現他這項身份，所以作罷。

白起雖然在秦王面前極力誇讚他推薦他，但在見面時卻明顯表示出他對呂不韋、甚至是所有商人的輕視。他半開玩笑半諷刺的對他說：

「有人說，商人無祖國，以前孤不太相信，因爲秦國商人一直都是忠君愛國的。見到呂先生後，才知道武人的胸襟太狹窄了，只要有利可圖，管他什麼國家不國家。」

呂不韋聽了，只淡淡的微笑著回答：

「天下本來是統一的，只因周朝王室積弱，控制不住諸侯，才落得今天各國割據的局面。商人通有於無，眼中只有生民需要，沒有國界，而不韋更自許為天下人。」

武安君白起當時因長平之戰坑俘，大受各國非議，秦昭王也責備他太過份，他告病在咸陽休養。聽了呂不韋的反駁，他默默不語，態度改變了很多。

其實，呂不韋在心中暗語：

「我這樣不是為秦國，更不是為利潤，而是為了我自己。有一天，我將到秦國來主政，而我的親生兒子將到秦國為王，子孫世代為秦王，還有，誰敢說他有朝一日不會成為天下的共主！」

在生意上，由於白翟的安排，他和咸陽的大商人及負責商務的官員常相往來應酬，他和這些大商人也達成協議，今後貨物交易不用付現，記帳抵銷，每年再結算一次，多退少補，這樣可以減少黃金和銅錢來往運送辛勞，並避免路途風險，各地目前都處於交戰狀態，軍隊、盜賊和難民都構成威脅。

這種辦法他在齊趙行之多年，非常方便。

這些官員和大商人並答應協助他在咸陽及其他大邑開設分號，他在秦國的貿易網有了初步規劃。

同時，他利用在秦停留時間，會晤了散居秦地的老朋友和昔日門下客，他要他們互相連絡，秦地有事，立即用最快方法轉告他，這些人有的在朝中或地方爲官吏，有的屬於市井，要通報的消息不只限於商情，也包括了朝中大事和重大人事調動。

這樣一來，他等於組織一個嚴密的情報網，秦國重大舉動，他都會比別人先知道。當然，他最大的收穫還是達成了他來秦的主要目的。

安國君及夫人召見了他，當面一再感謝他對異人的照顧。同時三人剖玉爲符，立異人爲華陽夫人的嫡子。華陽夫人並親口賜名給異人，要他從此改名爲子楚。

至於玉姬，安國君及夫人承認這項婚姻，無論生男生女，子楚都必須將她扶爲正宮。本來這不符合秦國宗室的慣例，一般都是姬妾生公子後才扶正。但華陽夫人苦苦的懇求，並以她自身爲例，安國君當然無話可說。

安國君要他帶封書信給子楚，信中強調將他交給呂不韋管教，他已正式聘請呂不韋爲他的師傅。

華陽夫人特別在信上附話，謝謝玉姬給她的湘繡，並交代子楚要善待她，安國君和她都已正式承認他們的婚姻，安國君會設法換他們回國。

一切該辦的事都辦好了，他開始懷念起邯鄲和玉姬，還有她腹中的兒子。它雖然還不能知道性別，奇怪的是呂不韋在潛意識中卻一口咬定是兒子。

他本來想在年前返趙，但卻抵不過安國君及夫人的盛意，留在咸陽過年，初五才告辭。安國君及夫人本想為他擴大祖道（送行儀式），但怕過於招搖，引起趙國方面的注意，對他不利，僅在府中設宴送行。

初五清晨，他仍是來時的雙馬安車，但所載回的收穫，卻是再大的駟馬高車也容納不下的。

他出得咸陽雄偉的城門，忍不住打開車後窗憑軾而視，巨龍盤捲似的城垣，猛虎雄踞般的城樓，在朝陽的照射下，顯得金黃燦爛，光芒四射。他忍不住對天暗呼：

「多偉大的國家！多恢宏的氣宇！我的兒子將君臨你，領導你征服天下！」

接著他又在心中喃喃的說：

「兒子，看你的父親在你未出世前，就為你做了多少事情！」

到達魏都大梁，他就在當地分號遇到子楚派往秦國報喜的信使。玉姬生了個公子，子楚並在信中要求父親承認他們的婚姻，准許他將玉姬置為正室。

呂不韋要信使繼續前往咸陽，他則急急趕返邯鄲，一路上，只見秦軍又在向東方集結，看情形趙國又將發生戰事。

有了「天下通行符」，在秦軍佔領區通行無阻，趕路中，他已無心留意軍隊的調動和難民的疾苦，他只時時在心中喊著：

「兒子，兒子，我的兒子！」

第3章

趙政出世

1

「兒子，兒子，我的兒子！」

子楚看了抱在奶媽手上的初生嬰兒一眼，在心內狂呼。但再看第二眼時，他不禁有點感覺失望。

這個皮膚打皺，頭髮濕濕，渾身上下通紅，像一隻開水燙過的老鼠的東西，會是他的兒子？會是秦國可能的統治者？

他出生時是否如此？目前橫行天下，東征南討，每天都忙著侵佔別國土地，攻城掠地的他的祖父秦昭王，出生時是否也是這種模樣？

兩眼緊閉，緊綁在襁褓裡，一副軟弱無助的樣子。

嬰兒沒有哭，他也沒有聽到嬰兒出世的第一聲哭聲，那是爲邯鄲城內喧天的鑼鼓聲和爆竹聲所掩蓋。依趙國特有的風俗，迎新年時，會以竹筒丟在火裡，燒出劈劈啪啪的聲音，以象徵來年的興旺。

這孩子出生時，正好是正月正（朔）日正（子）時正（初）。

普天下這時候都在熱烈慶祝，迎接一個新的年、新的希望，連帶也是慶祝他這個兒子的誕生。

「看上去好小。」他順口說了一句。

「不足月生的，已經算是很大了。」奶媽也順口答。

「不足月？」他對生孩子養孩子這類女人的事是從不過問的，也就是說對這方面的事一竅不通。

「一般孩子都是十個月生，小公子只有八個月，他恐怕是要搶這個好時辰。」

「哦！」他沒有再問下去，正月正日正時正，眞是個好得不能再好的日子和時辰，兒子是搶對了。

他信步往產房裡走，口中還問著：

「夫人怎麼樣？」

分站在門口的兩名僕婦卻將他攔了下來。

「公子，產房不潔，尤其是新年，進去恐怕對公子不好。」左面的僕婦恭敬的回答。

「公子有什麼吩咐，奴婢可以轉告，恭喜公子，添了一位小公子，而且母子平安。」

他在門口站了一會，聽得到裡面很忙，也聽到僕婦們輕言細語的說話，和玉姬軟弱的呻吟聲。生孩子一定很累，他應該進去安慰她一下，可是平日恭順的兩名僕婦，現在卻是硬擋住門，大有兩婦當關，主人也不行的架勢。

「夫人辛苦了，我想進來，她們卻不讓我進來。」他的口氣倒有點像孩子向媽媽告狀。

「你等了半夜也累了，回房去休息吧。」玉姬軟弱的在室內回答。

「公子請回房休息，」奶媽抱著嬰兒要進門時，微笑著對他說：「三天後夫人就會移回寢內，公子一天到晚都見得到。」

「嗯！」他想再隔著房門說幾句體貼話，但看到室內室外滿屋子的僕婦女婢，他將話忍了下去。

他不想回臥室，轉了幾轉，習慣性的轉到了小樓南端的書房。跟在後面來的一名小婢，忙著爲他生好水爐，沏上熱茶，還怯生生的問道：

「公子是否要用點心消夜？」

「不要了，辛苦了大半夜，妳也該回去休息了。」他揮揮手遣走小婢，感到一陣輕鬆，兒子生下來了，母子平安，感謝上蒼和祖宗保佑。

但隨即心上又升起一陣茫然無助的感覺。平日他習慣了大事找呂不韋商量——與其說商量不如說全權委託他——小事要趙升去辦。生兒子是大事，但該怎麼做，他一點頭緒都沒有，而呂不韋到秦國去，不知爲什麼耽誤了，連過年都不回來。

他推開南窗，只見滿天星斗，大地卻是蓋滿厚雪，一片的白，天空星星閃閃，映著白雪，顯得特別的亮。

窗下花園裡傳來陣陣臘梅香味，小徑旁一堆堆的龍柏，在星光朦朧中，像一些站在路邊聊天的白髮白衣老人。

今天是正月初一，一早就會有賓客來拜年，他該準備些什麼，卻因忙著生兒子的事，全都給忘記了。

往年過年，他根本不要作何準備，除了朝賀趙王這件大事去一去外，他很少赴人邀宴，也很少有人來向他拜年。

今年初次不一樣，可是呂不韋又不在身邊。

忽然他想起了趙升，今天晚上似乎還未見過趙升，當然這是因爲自傍晚玉姬陣痛開始，他就一直待在小樓上。這裡是男僕的禁地，但現在他急欲找他來，問問明天該做些什麼。

「來人！」他喊了一聲。

「請問公子有何吩咐？」出現的仍然是負責書房的小婢。

「要人找趙升來。」

「但是這裡……」

「不要緊的，要他到書房來見我，」他回頭一看：「噫？剛才我不是要妳回去休息，妳怎麼還沒走？」

「公子不睡，奴婢職責所在，怎麼敢走。」

「哦，」他心上掠過一絲憐惜，輕柔的說道：「以後不要這樣，我要妳去休息，就不必管我，現在你交代別人去找趙升來這裡，妳就回房休息去吧。」

「是。」小婢靜悄悄的退出書房。

他站到窗前欣賞雪景，發現邯鄲城內，每家每戶都是燈光輝煌。他在想像中浮起一幅家人團聚的溫馨畫面，卻也連帶想起因戰亂而失去父兄子弟的家庭，孤兒寡婦，這個年要怎麼過？尤其是長平一戰，趙國精壯幾乎去了一半，秦國雖然戰勝，傷亡要少得多，但也製造了多少孤兒寡婦？多少趙秦人家，此時卻在痛哭暗泣？

「假若我能就秦王位，我一定要設法阻止戰爭，讓天下百姓過太平的日子，過家人團聚、只有歡笑沒有眼淚的年。我子楚對天發誓，我一定要做到！」子楚揑緊雙拳，默默祝禱。

同時，他又想起他這個出生時辰特異的兒子，但願他能爲天下帶來太平。

「兒子，看！無論是秦趙、楚魏、齊燕韓，全都在慶祝你的誕生，假若有那一天，你應該善待他們，讓他們安居樂業，不再有征戰刀兵之苦！」

忽然他想起該給兒子取個名字，他生於趙地應姓趙，正月正日正時生，加上他未來要主國，就爲他取名趙政吧！這個名字眞是再恰當再響亮不過的了。

在他這樣胡思亂想時，時間過得飛快，他突然警覺，怎麼要找的趙升還沒找來。看看計時的沙漏，都已丑時了。

「來人！」他有點憤怒的喊。

「來了。」出現的又是那名小婢，但這次她頭髮零亂，兩眼惺忪，衣衫未整好，顯然剛從睡夢中爬起來。

「又是妳，叫妳休息爲什麼不休息去？」

「奴婢睡處就在隔壁。」小婢委屈的說。

「趙升怎麼還沒來？」

「他們說趙升不在府中，他們到他家找去了。」

「那怎麼這久還沒有來？妳再要人去找找看。」

說話間，趙升已進得書房，跪在地上叩頭，上氣不接下氣的說：

「公子有什麼事找我？」

「怎麼要我等你這樣久？」他一面責備，一面揮手要小婢離去。

「恭喜公子得子！」趙升伏在地上不動，口中卻先恭喜讓他息怒。

「趙升，你什麼事耽誤了？」

「小人的妻子今晚也生了個兒子，因爲是難產，小人不敢離開，剛生下來，小人就趕來了。」

「你妻子可平安？你來了有什麼人照顧她？」

「託公子的福，她母子均安，現在有她母親和接生婆照顧。」趙升還是跪伏在地，身體微微發抖，不知是感激他的關懷，還是怕遲到受罰。

「起來吧！我找你來是想問問你，明天有賓客來，要招待的事準備得怎樣了？」他說著話，轉身到書案前坐下。

趙升起來，垂手侍立在書案前，茫然的看著他不作回答。他才想起這根本不是趙升的事，接待賓客平時有一個門客專門負責，這人過年回家去了，而他府中又沒設總管。

「坐下，比較好談話，恭喜你得子，」他和言悅色的說：「什麼時辰生的？」

「子時尾。」趙升仍然不敢坐。

「這樣巧，小公子是子時頭生，你的兒子生在子時尾，將來一定大富大貴。」

「謝公子的金口，但願公子照顧，小人粉身難報，」趙升福至心靈，又跪倒在地：「求公子爲小犬取個名字吧。」

「你名趙升，他……就叫趙高好了，升高，高升。」

「多謝公子。」趙升又再叩頭。他站起來後，侃侃說明該如何接待賓客，說得條理分明，頭頭是道。

子楚注視著他，心中有些許愧疚，趙升跟了他這久，他今天才發現他是個人才。

「府中還缺個總管，就是你吧！明天大家來拜年時，我會當眾宣佈。」

「謝公子。」趙升又復跪下，兩眼閃著淚光。

2

呂不韋日夜兼程趕回邯鄲，正月已經過去。

在趙升的策劃下，趙政的滿月酒辦得盛大風光，所有邯鄲宗室大臣、達官顯要、富紳大賈，全都湧到子楚府中道賀，熱鬧場面自不在話下。

子楚和玉姬感到遺憾的是呂不韋未能及時趕到，總感到像缺少了點什麼，而玉姬心中更是惆悵，她思念的是呂不韋——孩子眞正的父親。

當她抱著孩子，和子楚一起接受賓客的道賀時，她的臉上始終掛著充滿女性魅力的微笑，心頭卻在隱隱作痛，她明白這只是在演戲，沒有帶給她眞的快樂和幸福的感覺。

同時，孩子一滿月以後，臉的輪廓逐漸明顯，神情也變得越來越清晰，像誰隱約可見。嬰兒除了眉毛修長，像她自己以外，大而靈活的眼，高挺的鼻子，處處都是呂不韋的翻版，尤其是瞪著眼睛出神的樣子，活脫脫一個具體而微的小呂不韋。

當然，在別人眼中，目前還看不出來，嬰兒的長相都差不多，你認爲他像誰，他就像誰。但孩子會長大，長相神情，舉止行動，像誰是絕對瞞不過的。嬰兒的模糊面目，最多只能維持到六個月。

六個月後又怎麼辦？她感到惶恐和後悔，她不應該附和呂不韋的「大計」，而應該堅持自己原有的立場。做一個商人婦有什麼不好？尤其是像呂不韋這種富可敵國的大商人，要什麼就有什麼，而且不必涉及政治風險和宮廷鬥爭。

她如今只能盼望呂不韋早點回來，謀求對策，在她心目中，呂不韋始終似乎是無所不知、無所不能的，他既然決定這樣做，一定有他應付的辦法。

呂不韋回來了，帶來立嫡和扶正的好消息，又掀起府中一陣熱鬧高潮。

在呂不韋的主持下，大宴賓客連續了好幾天，這次除了富貴階層外，還多了些三山五嶽的市井英雄人物，由此顯示出呂不韋在趙國潛在勢力之大，以及影響層面之深，上至宗室貴族，下至販漿屠狗之輩，幾乎被他一網打盡。

趙王雖然沒親自駕臨，卻除了頒發賀書外，還親自召見了子楚，幾乎帶點請求的口吻，要他協助達成秦趙兩國的和平。

當此時，秦趙兩國關係微妙，兩國和談使者，分別在邯鄲和咸陽集會，為了割地賠款的事談不攏，而趙國上下恨死了秦國，主戰派更是高唱傾全國之力，將秦軍趕出趙國的土地。但長平之戰，傷了整個國家元氣，想反擊已力不從心，只有加強談判，希望少割點地和少賠點款。

子楚現在的地位雖然仍是個質子，但份量已和往昔完全不同，他以前只是個庶子，就像棋中的死子，隨時都可放棄，但如今不同了，他是秦太子的嫡嗣子，換句話說也就是第二順位的王位繼承人，他的祖父國君年已老邁，而太子父親年齡不輕，身體衰弱，他可能很快就會登上秦王寶座，趙王及朝中大臣不得不籠絡他、討好他。

子楚的地位加上呂不韋多年的關係經營，此刻他和呂不韋在趙國的聲勢，達到日正當中的地步。

但他和呂不韋都不快樂，再加上玉姬，三個人各自懷著鬼胎。他們不再像以往那樣親密無所顧忌，他們盡可能互相迴避，不得不在一起的時候，也是言行小心，避免刺激對方，最使玉姬——現在應該稱楚玉夫人了——難過的是，她接連幾次祕密派人通知呂不韋，想和他單獨見面，呂不韋都加以嚴詞拒絕。他表面上答覆派去的親信女婢，他太忙沒有時間，以後有空再說，但要來人回話，夫人有什麼事可以要公子轉達給他，這表示毫無見她的意思。

當然，三個人的不快樂和疑懼總歸於一個原因：趙政越來越神似呂不韋！

自呂不韋從秦國回來，就聽到親友和下人之間的各種神話和傳言。

有人說，正月正日正時正生的人的確難見，知道的只有八百年前的周文王，此子看樣子和文王一樣，乃是將來要統一天下的眞命天子。

也有下人繪聲繪影的說，他們親眼看見趙政出生時，一條黑龍騰雲駕霧進入產室屋頂。但議論最多的還是趙政像誰的問題。

當然，這些話同樣也會傳到子楚耳朶裡。

開始時他憤怒，認爲自己受了騙，但再冷靜的仔細想一想，這個圈套乃是自己想鑽的，甚至可說懇求別人讓他去鑽的。

他身爲貴族，應該知道歌伎與主人之間的關係，雖然呂不韋口口聲聲說一直以弱妹看待玉姬。

另外，他目前得以立爲嫡嗣，全靠呂不韋一手促成，欲成大事，不拘小節，何況呂不韋如今很明顯是在避著玉姬，並沒有繼續來往，而且今後要仰仗他的地方還多。

因此，他按下心中這股憤怒，表面上裝得若無其事，對外界的傳言，也是一笑置之。只是，每逢看到神似呂不韋的趙政，潛意識中總有一股厭惡，連帶對玉姬的熱情也冷卻了。他怕見到她，但對別的女人又提不起興趣，他藉故獨自宿眠在書房裡。

3

秦昭王四十九年，趙成王九年。

和議終於達成，趙割六城予秦，秦在正月退兵。

趙國經過一年多的休養和收撫流亡，逐漸恢復元氣，邯鄲城又回復了以前的熱鬧繁華，入夜以後，大戶人家的亭台樓榭又是笙歌處處。

燕孝王新立，召世子喜返國立爲太子，他力邀子楚前往燕國遊歷。子楚正心中苦悶，也就應邀而去。

在子楚隨太子喜去燕後的有一天，呂不韋從外應酬回來，已帶幾分酒意，回府以後，經由侍僕扶進後堂，再由侍女扶回內室。

一路上碰到的侍女都是以袖掩唇偷笑，一個個都是鬼鬼祟祟的，他滿懷狐疑，不知發生了什麼事，但懶得去問，也許是他待這些女孩太過寬厚，在細小事情上，她們並不怕他。

兩名侍女扶持他睡下以後，他忽然感到男人的需要急迫。他醉眼惺忪的看看這兩名侍女，年紀都太小，在這方面不懂得怎樣伺候男人，這是他多次的經驗，所以他喜歡成熟、懂得如何激起然後滿足男人的女人。

「要蔡姬來侍寢！」他口詞含糊的吩咐。

蔡姬是蔡地人，生得白皙修長，穿上衣服看上去飄遙輕靈，脫了衣服卻豐肌腴膚，珠圓玉潤。呂不韋將女人分成三等：穿衣脫衣時都美的女人是第一等；穿衣時普通，而脫衣時美的是第二等；穿衣時美，脫衣不美的是第三等。當然，穿脫衣都不美的女人是等而下之，在呂不韋府中是找不到的。

他自元配無子早逝，眾姬妾爭立，他就立下一個遊戲規則，誰先生兒子，就立誰爲正室。但這多年來，不但沒有生兒子，連女兒都未生一個。

他另外一個遊戲規則是：絕不和女人過夜，也不輪值，而是由他高興，想到誰就傳誰，事完即遣走。

據他向知友說，他訂這項規則，是鑒於古來多少英明君主、英雄豪傑斷送在女人懷抱的溫柔鄉裡，他呂不韋對女人要做到招之即來，揮之即去。

玉姬在的時候，他召她的次數居多，自她走後，他忙著定國立君的大事，就很少召姬妾到內寢。

令他感到諷刺的是，多年來的努力，鍊丹練功，想生出個兒子來繼承他的事業，想不到只有玉姬生了個兒子，而他卻把她送給了別人，親生的兒子見面都不能相認。

醉意朦朧中他聞到一陣衣香，他迷糊的感覺，這不是蔡姬。他共有七名姬妾，每個人用來薰衣的香料都不同，他不但分得出這些姬妾不同的衣香，在她們脫掉衣服後，還分辨得出她們的肌膚香味。

女人沒作一聲，吹熄了床邊本是光線黯淡的燈，幫他寬衣解帶，動作溫柔細膩，然後自己脫光，緊緊擁住他，由她胴體的溫度，他明白這女人正處於性飢渴狀態。

「這不是蔡姬，」他意識不清的想：「但管他的，有奶就是娘，管她是誰？能餵飽我就行！」

女人開始主動挑逗他，刺激他每一處性感的地方，使得他心癢難抓，欲仙欲死，但刺激卻是恰到好處，適可而止，每當他想說夠了的時候，她就轉移了刺激點。

女人用的方式無所不包，吻、咬、捏、抓、吸、舔，再加上輕輕拍打，使他感到全身舒暢，卻欲罷不能。

她用的工具也包括她全身上下每處敏感的地方，她在挑逗他，也在刺激自己，讓她自己情慾升高到最高點。

她在最適當的時候停止前戲，進入正場，她不斷換姿勢換方式，卻不驚動他，也不讓他費一點力氣。

「要是蔡姬的話，她的確進步大了！」他醉意朦朧的想。

但到最後他要進入高潮時，她突然脫身轉體，含住他男性的象徵，讓所有的排泄物都吞入肚中。

有這種吞食習慣的，眾多姬妾和女人中只有一個人，他也只准她一個人如此，因爲這種排泄物是製造孩子的寶貝，不能這樣浪費。但她堅持十次中八次如此，他也容忍了，因爲據說這樣能使女人駐顏養容，所以她能不施脂粉，始終保持肌膚光滑細膩。

這個人就是玉姬！

但她不可能出現在這裡，而且要是這樣的話，傳出去還得了！會破壞了他定國立君的大事。

高潮後的倦怠嚇走了，酒意也嚇走了。

「會是妳？」

女人還是不作聲的緊擁住他。

「來人，掌燈！」他像遇到鬼似的大喊。

他要侍女點亮了室內每一盞燈，往日他喜歡亮著燈行事，越亮越好，今天喝酒懶得吩咐，卻中了道。

4

「眞是妳。」他搖搖頭，深長的嘆了一口氣。

「當然是我，你的女人當中，還有這樣能使你滿意的嗎？」女人驕傲的說。

「妳現在身份不同了，妳是楚玉夫人，秦國嫡世子的夫人，很快就會成爲王后！事情傳出去怎麼得了，會壞了大事！」

「大事！大事！卻拿我當犧牲品！」

「妳應該滿足了，子楚年輕英俊又是未來秦國的國君，以秦國之強，未來統一天下是必然的事，妳就是母儀天下的王后。」呂不韋儘量語氣委婉。

「王后又怎麼樣？獨守冷宮的王后還不如一夫一妻的貧婦，年輕英俊有什麼用？銀鎗蠟燭頭！」楚玉夫人恨恨的說。

「他自娶了妳以後，似乎沒有再納姬妾，這樣還不夠滿足妳？」他驚詫的問。

「他不納別的姬妾，可是在趙政生下來以後，一直到現在也沒碰過我。」她說著說著眼淚就掉下來了。

注視著她還沁著汗珠的白皙寬廣額頭和掛著淚珠的美腮，他心上有說不出的歉意。但事到如今，只有堅持下去。

「我明白你的苦衷，但我看得出來，他是愛妳的，只要妳不要再像今天這樣任性，對他溫柔體貼一點，他會再對妳好的。」

「那就要我永遠這樣守活寡下去？」她仰著沾滿淚水的臉，依然顯得那樣稚氣。

「怎麼會？只要你不亂來，不讓他抓住把柄，趙政名義上是他的兒子，他無法否認，何況這個孩子的確活潑可愛，人見人喜。」呂不韋口中安慰著她，心中卻在想：「眞的沒辦法，這孩子怎麼越長越像我！」

「那我怎麼辦？」

「什麼事怎麼辦？」

「你要我不亂來，可以，但你得答應我一個條件。」楚玉夫人編貝似的牙齒輕咬著殷紅的嘴唇，嬌憨的神態讓他看呆了。他在想：

「這樣絕世美女送給別人享受，的確太可惜。」

「你聽見沒有？答應我一個條件！」她像以前一樣，發脾氣拉他的耳朵。

「什麼條件？」他無奈的說。

「不要逃避我，在我想見你的時候，就能見到你！」

「見是可以，但不能像今天這樣。」

「那見你有什麼意思！」她銀鈴似的輕笑，包含著多少哀怨和淒涼。

「眞的，見不如不見，這樣會誤了大事。」他懇求的說。

「那我該怎麼辦？」她像是在自言自語。

「站在高處，就得忍受寒冷，歷來的王侯將相哪個不寂寞，后妃貴婦哪個不受這方面的煎熬！」

「你寂寞嗎？」楚玉夫人輕撫著他的臉頰，愛憐的問：「我比你更寂寞，你還有『大事』可忙，我卻得獨守空房，從天亮等天黑，再從天黑等天亮。」

「多費點精神照顧我們的孩子，這個前途遠大異於常人的孩子，妳應該將所有精力和希望放在他身上。」

「我現在就在這樣做，但對這方面一點幫助都沒有，親子間的愛取代不了男女的愛，愛也無法滿足情慾的需要，有時更像用風熄火，越吹越旺！」

「見面的事以後再說，」呂不韋知道跟她纏下去會沒完沒了，他轉變了話題：「妳該穿衣服走了，雖然子楚不在家，妳也應該注意到下人耳目眾多。」

「求你也沒有用，」她開始氣鼓鼓的穿衣：「不過，我警告你，要是我找你，你逃避，小心我壞了你的大事！」

呂不韋無奈的搖搖頭，不置可否。

在她走後，呂不韋召集了內寢的女婢，聲色俱厲的告誡：

「夫人到這裡來的事，只要外面有任何風聲，我就要妳們所有人的命！」

有些女婢嚇得渾身顫抖，平日和言悅色的主人，今天怎麼變得凶神惡煞一樣？

5

子楚站在南書房的窗前，思緒像團亂麻，越想整理越亂。

時值暮春三月，園中一片翠綠，各色各樣的花，姹紫嫣紅，爭芳鬥艷，那叢龍柏更是青鬱宜人。

趙政正跟著奶娘在荷池邊的假石山旁玩耍，蹣跚著胖胖的小腿，追趕著她大叫，歡欣的童稚呼聲，充滿了整個花園。

四個多月不見，趙政已能走能跑了。

他這次到燕國參加了世子喜的立太子大典，並在後宮作客，受到燕王及朝中上下的熱烈款待，與往日在各國受到的冷落漠視，形成一個強烈的對比。

他還是他，什麼都和以前一樣，可是由異人改名子楚，由棄子變成嫡子以後，周遭的一切人和物，卻有了一百八十度的改變。

他不得不興起「大丈夫不可一日無權，小丈夫不可一日無錢」的感慨。

在燕王的鼓勵下，他和太子喜結成了兄弟，他要他們同心協力爲天下謀太平。

燕王雖然才只中年，但身體狀況很糟，子楚當時一直在想，看情形太子喜很快就會成爲燕王，但他離前往秦王寶座的路卻還隔了一層，誰知道將來會起什麼變化？

正在想著這些的時候，忽聽到趙政的大哭聲，使得他的思潮中斷，他注意看趙政發生了什麼事情。

原來他想到荷花池邊去，奶娘怕危險將他抱起來，他就在奶娘懷裡大哭大叫，拳打腳踢，一定要下來。

子楚皺了皺眉，心想：

「這個小傢伙越長越像他父親，連性格都一樣倔強，決定了的事，非做到不可！」

人總是在別人孩子身上找缺點，而在自己的孩子身上找優點，子楚對趙政則更爲複雜。他喜歡他的相貌俊秀中帶著英武，聰明和健壯都超過一般常兒，因爲他是他的兒子，在家人的誇讚聲中，他也有份成就感。

但在內心深處，趙政越聰明越健壯，家人誇讚得越多，他越感到痛楚，因爲他明知道他不是他的兒子，一切榮耀都是歸於呂不韋的，與他全不相干。

別人對趙政缺點的指責，他得公開承受；對他優點的讚嘆，他卻得在內心承受嫉妒煎熬的痛苦，天下沒有比這再矛盾再不公平的事。

趙政在哭叫踢打無效以後安靜下來，他輕吻著奶娘的臉，口齒不清的咿呀著些什麼，他在討好奶娘將他放下來？硬的不成再用軟的？

果然，奶娘似乎是爲他說動了，將他放下地，他一鼓勁的又向荷花池邊跑，最後是奶娘讓步，帶著他在池邊玩起來。他白胖的小腿在水面上擊打，濺起的水珠在陽光下發亮，他高興的大聲唱，聽不清他在唱些什麼。

「活生生的一個小呂不韋！」子楚感到深埋在內心的那股痛楚又在蠢動，重重的咬嚙著。

他突然浮起一個惡毒的念頭——假若找個機會將他丟下荷花池裡，就說是失足落水，應該沒有人懷疑。

不，他再一轉念，至少有兩個人會懷疑——呂不韋和楚玉夫人，表面上他們也許不敢說什麼，但這對他大不利！不只會變生肘腋，而且會破壞他的大事，他今後登上秦王寶座的路上，仰仗呂不韋的還太多。

看樣子，他只有硬吞下這苦果，讓它在腹中絞痛！

趙政轉身時發現到他，他跳起來，赤著腳向他奔來，奶娘提著小靴在後面追趕，一邊喊著：

「慢點跑，小心摔跤！」

趙政跑到小樓下，舉起肥嫩的小手揮動：

「爹，抱抱，爹，抱抱。」

「爹有事，沒法抱你，跟著奶娘去玩，乖！」他驚詫自己怎麼說得出這樣溫柔的話，在剛動過那種惡毒念頭以後！

奶娘將趙政抱走了，他又在掙扎，可是這次沒有哭鬧踢打。

望著奶娘豐盈的背影和渾圓轉動的臀，他起了一陣強烈的衝動。他和呂不韋一樣都喜歡白、胖、高，臀部特大的女人，只是喜歡，與愛無關，因爲她們會激發他的男性慾望，就像火點燃油一樣。

太子喜不知道這一點，按照他自己的審美觀點，安排一些瘦長輕盈的女人，用歌舞歡娛他，服伺他，他連碰都懶得碰她們一下。曾經滄海難爲水，對玉姬現在都能壓制住自己的情慾，對這些女人更是不屑一顧了。

太子喜先是驚詫他對玉姬的忠貞，然後正色告訴他，爲國君的必需廣施雨露，多生兒女。兒女多，才可以固植國本，就像老榕樹佈根一樣。

現在他又想起太子喜這番話，是啊，爲什麼一年多來他不想碰玉姬，就連其他的女人都不碰？爲什麼儘是在趙政一個人身上轉念頭？他現在已有能力養眾多的女人，也有需要生更多的兒女，爲將來固國本。像他父親生二十多個兒子，甚至像文王那樣生一百個兒子！

至於趙政，何必打害他的主意，不立他爲太子就行了，這個心結總算解開了！

在情慾衝動加上解結興奮的恍惚中，回坐到書案前時，一不注意竟將茶杯打翻了。

應聲進來的是那個專負責書房的小侍女，她先跪下行禮，然後清理書案，也不敢要他讓開，就在他腳邊身旁擦來擦去。他清晰的聞到她身上散發出的處女特有香味，看著她剛足盈握細腰的扭動，微微突出的胸部，使他正熾的慾念有如火上加油。

他在想，往日爲什麼只注意熊掌的鮮美，完全忽略這些清淡可口的小菜。

「這樣可以了。」他一把就將她抱在懷裡，柔聲的問：「妳叫什麼名字，今年幾歲？」

「奴婢叫蘭兒，今年十五歲。」蘭兒畏縮在他懷裡，渾身激烈顫抖。

他這才發現到蘭兒不但臉蛋清秀，還有一雙大而嫵媚的眼睛，眼睛閉上時，長而濃的睫毛就像兩把羽扇，覆蓋著下眼瞼。

他輕柔的解開她的胸衣，兩個衣外看來細小的乳峰突然跳起，粉嫩雪白，像新剝的春筍，挺拔微翹。

他吮吸著她粉紅色的乳頭，她嚶了一聲，眼睛閉得更緊，眼角滲出兩行晶瑩的淚水。

他沒有去管那是悲傷還是喜悅的眼淚……。

6

秦趙雖然在秦昭王四十九年正月達成和議休戰，但在該年九月，秦又撕破和約，再度派五大夫王陵率兵攻趙。五十年正月，王陵攻邯鄲，久久圍攻不下，傷亡慘重，秦軍由國內及各地調兵增援，損失高級將領五員，仍攻不下。

秦昭王此時想起了告病在家的武安君白起。他希望能派白起去替換王陵，將邯鄲攻下來。

可是白起覆呈意見是：

「邯鄲城高池深，防守堅固，實在是很難攻。而且諸侯紛紛來救，救兵都已在途中，這些諸侯各國對秦的怨恨都不是一天兩天了，抓到這個群攻的機會，必然不會放鬆。目前秦國雖然已殲滅趙國的長平郡，但秦軍本身也已傷亡過半，國內已成空虛狀態，卻還要越山渡河，千里迢迢的去爭別人的國都，一旦趙從內衝，諸侯軍由外攻，來個裡應外合的夾攻，秦軍就會遭到被殲的命運，這場仗是不能打的。」

秦王自己請不動，又派宰相應侯去請，白起始終不肯，乾脆又再請病假。

秦王於是命王齕替換王陵為將，八、九月間又再圍邯鄲，但仍是久攻不下。

這時候，楚國派春申君率領的援軍，以及魏公子無忌率領的大軍全都已到，數十萬大軍合攻秦軍外圍部隊，秦軍頗有傷亡。

白起這時候又說話了：「秦王不聽我的話，現在看怎麼樣了！」

這話傳到秦王耳中，秦王大怒，下令白起刻日赴前線指揮作戰。白起自稱病重無法領兵，應侯又再親自到家裡去請，白起仍然不奉命。

秦王大怒，削革白起的一切官位爵位，貶為普通兵卒，並謫放到陰密去。這時白起卻真的病得很重，不能赴謫居地。

又過了三個月，諸侯軍圍攻秦軍更為猛烈，秦軍支持不住，接連撤退，每天都有軍中使者到咸陽來告急。秦王越想越氣，派人趕白起出咸陽。白起抱病而行，才出咸陽西門十里，抵達杜郵時，秦昭王又與群臣商議說：「白起受到謫放，看起來是不心服的，將來一定還會亂發牢騷。」

於是，秦王又派使者賜劍白起，令他自裁。

白起在自殺前，仰天長呼：「我有什麼事得罪了天，竟落到這種地步？」過了很大一會，他才省悟的說道：「我是該死的，這種悽慘下場是罪有應得！長平之戰，我欺騙趙國降卒，坑殺了四十萬，這就已經足夠死罪了。」於是自刎而死。

當時是秦昭王五十年十一月。

白起在秦國人心目中是大英雄，戰無不勝，攻無不克，為秦南定鄢、郢及漢中各地，北殲趙長平軍，為秦闢地七十餘城。今死而非其罪，秦國百姓都為他哀悼，每城每鄉都建祠祭祀他。

但在趙和其他諸侯各國，他卻是個殘殺降卒的大惡，死者家屬恨不得食其肉寢其皮，聽到他得罪自殺的死訊，莫不歡欣鼓舞。

秦軍聽到這個消息，將領人人自危，士氣為之低落不振。

7

秦昭王五十年正月，趙成王十年正月。

秦將王陵率大軍二十萬圍攻邯鄲。

趙國軍民對秦國的反覆無常甚感痛恨。全國上下同仇敵愾，固守邯鄲，雖然趙軍兵少力弱，但由於民心士氣高昂，戰鬥意志堅決，秦軍發動多次攻城，全都遭到擊退。

開始時，趙王還想利用子楚這個質子作謀和的的棋子，尤其是他現在的身份與前不同，不再是庶子，而是秦國太子的嫡世子，第二順位王位繼承人。

但秦昭王攻城略地，從不考慮質子的安危，因爲他兒子眾多，孫子更是多得自己都不記得有多少。

安國君也跟父親一樣，無可無不可，這個嫡世子死了，再立一個就是。

急的人除了生母夏姬以外，就只有華陽夫人了。夏姬得閑就到華陽夫人那裡哭訴——現在由於子楚的關係，她們已是好朋友了——因爲她根本見不到安國君。而華陽夫人也是日夜在安國君面前哭泣，要他到父王那裡設法謀救，譬如是交換質子，或者是暫停攻擊等等。

安國君表面安撫她，說是向父王稟告想辦法，但實際上這些日子他連見父王的面都不敢。

秦軍失利的消息每天都從前線傳來，父王請白起又請不動，更是丟盡了臉，請不動不說，還要聽他的風涼話。

秦昭王一生派兵出征，擴張疆土，眞可說是所到之處勢如破竹，但這次攻擊失利，邯鄲久攻不下，他變得煩躁不安，動不動就打人殺人出氣，安國君這個時候實在不敢逆披龍鱗，拿自己兒子的事去煩他。

再說，各國在開戰以前，就已將在敵國質子的命運決定好了——能逃出就活，不能則死，全看他自己的能耐和造化。

後來，安國君實在拗不過華陽夫人的糾纏，只得託人經由秦國在趙的間諜系統營救子楚，並公開在軍中懸賞，凡能在邯鄲城破前後，將嫡世子營救回國的，賞黃金千斤。

重賞之下雖然必有勇夫，但秦軍個個只有望著攻不下的邯鄲城牆嘆氣。

這項重賞當然也包括間諜系統的人。秦國平時就派了間諜在各國，有利用商人身份往返報告的生間；有買通在地人擔任的因間；有在敵人間諜系統內的反間；也有就在國君身邊親信的內間。

秦國間諜系統發動趙王身邊的內間建議交換質子，但趙國爲質在秦國的質子，也只是趙王並不喜歡的兒子。同時，爲了秦國的一再反覆無定，他不能相信，他放了子楚，自己的兒子就會放回來。

另外，秦軍坑殺降卒四十萬，這個仇恨已深植在每個趙國人的心裡，再加上圍城攻防的死傷以及缺糧的慘狀，軍民都喊叫著要殺秦國質子洩恨。

按照慣例，無論是與國、盟國或敵國的質子，平常都是行動受到監視的，只能在住地的城內活動，出城都得經過有關當局的批准。

在秦國一開始違約，再度進軍趙國時，子楚的行動就受到限制，好在趙王還想利用他，並不太嚴格，尤其是未限制他的家人。

因此，呂不韋的狡兔三窟計謀，開始看出效果。楚玉夫人帶著趙政、奶娘，以及趙升的妻子、兒子趙高和其他一些女婢僕婦，前往趙莊，對外說是探望義父趙悅。

和趙政同年同月同日同時，不過是生在子時尾的趙高，已經成為趙政的最佳玩伴，趙政睡覺醒來，一睜開眼睛就吵著要趙高。他們同吃同玩，有時候還同睡在一起。

帶他和他娘去，就是為了趙政離不開他。

楚玉夫人走了以後不久，秦軍就軍臨邯鄲城下，趙王嚴令派人看守子楚府第，美其名是保護。白天只准進不准出，米糧蔬菜和日常所需用品，全由邯鄲地方當局派人送，進去的人還要經過嚴密搜身檢查。入夜則完全不准有人接近，凡經發現，格殺勿論。

子楚根本也不敢外出，以邯鄲軍民的氣憤，他出去不橫屍街頭才怪。開始呂不韋還利用關係，買通負責看守的官員，偶爾來探視他，最後呂不韋本人也受到警告，他再去接近子楚，自己也會有同樣遭遇。

於是，他和外界整個隔絕。

8

那天晚上，子楚正坐在書房發呆。

偌大的一座府第，現在只剩下三個人，他、蘭兒，還有趙升。到了晚上，梧桐樹影婆娑，就好像鬼魂起舞。這所古老宅第，每處院子天井，全都種有這種闊葉喬木，夏季枝幹參天，茂密的樹葉蔭蓋庭院房舍，排拒了陽光，但也增加了陰森之氣。

趙國本籍的僮僕女婢全都解散，有的自由之身是自動離開，不願再侍候敵人；那些賣身府中的，則由邯鄲地方當局一道命令，全部還了他們的自由。

蘭兒是自小賣到呂不韋府中，由玉姬帶來的陪嫁女婢，但她戀著子楚，沒有隨玉姬去趙莊，遺散時她也不願走。她說，除非她死，這輩子是跟定他了。

趙升是自由人，是子楚到邯鄲後雇用的，但因感激子楚的知遇，他也不願離開。

眼看著殘月光照下的花園，一切變得慘淡死寂，鼻聞陣陣隨風飄來的花香，使他覺得不像是人間，而是進了虛無縹緲的鬼世界。

蘭兒在樓下，正忙著爲他弄晚餐。

忽然，穿戴青衣小帽、一副僕傭打扮的呂不韋，匆匆的走上樓來，他身後還跟著一個和他同樣打扮的下人。

蘭兒也端著子楚的晚餐，緊接著上來，她關心子楚，想知道發生了什麼事。

呂不韋一見到子楚，開口就說：

「剛才我得到消息，趙王下令逮捕你，現在來逮捕你的人馬可能已在途中，我已買通了西城的門監，他已準備好放你出城，現在我們要趕快走。」

「讓我去爲公子準備一下。」蘭兒在一旁說，儼然是女主人口吻。

子楚感激的看看她一眼，還來不及說話，呂不韋就急忙說：

「不要準備什麼了，緊急時候，人能出去最要緊，人在什麼都會在，人沒有了就什麼都沒有了，趕快跟我來！」

「你是怎麼進來的？」子楚反而平靜的問。

「這時候你還問這幹什麼?」呂不韋驚詫的反問:「我是以呂不韋的名義買通了門口的警衛,說我們是你的老家人,還有工錢跟你沒算清,我們是來要帳的。」

「那你來看,我們要怎樣出去?」子楚苦笑著說。

呂不韋隨著子楚來到窗前,往外一看也暗暗叫苦。

只見院內院外,火光明亮,進出口都有人把守,不說是人,連隻鳥也飛不出去。

「怎麼會來得這樣快!現在是酉時,我得到的消息,是在戌時趙王使者持詔書來此,距離現在應該至少還有半個時辰。」呂不韋懊惱的說。

「看樣子,趙王的使者還未到,這些人還是負責監視這裡的那批人,他們知道今夜要逮捕我,當然要提前戒備,不然不會沒有行動。」

「那我們該怎麼辦?」足智多謀的呂不韋如今也慌張起來。

「小人有辦法!」跟著聲音進來的是趙升,他跪下向子楚和呂不韋行禮。

「免禮,起來說,你有什麼辦法?」

「剛才我上樓,發現花園的陰暗處都有暗哨監視,花園外十步一崗,五步一哨,全都持著火把,而且所有地方的燈都點亮了,連飛隻蒼蠅,他們也會發現……」

「這些我們都看到了,」呂不韋不耐煩的說:「現在最主要的是我們怎麼出去。」

「只有行險僥倖，用李代桃僵之計了！」趙升微笑著說。

「誰是李，誰是桃，要如何代法？」子楚急切的問。

呂不韋點點頭，若有所思。

「平日大家都說小人長得有點像公子，」趙升仍然面帶笑容：「如今小人願代公子逃過此難。」

「這怎麼可以！再說，使者會辨認不出來嗎？」子楚說。

一直在旁默默觀察趙升的呂不韋這時開口說：

「不只是有點像，而是非常神似。使者沒見過公子，他也想不到我們會用這招，大概可以矇混過去，現在這種情形，也只有試一試了。」

「那公子趕快和小人對換衣服吧。」

「這怎麼可以！」子楚連連說。

「如今事情緊急，只有這樣了。蘭兒，妳去服伺公子更衣，並將趙升打扮一下。」呂不韋搶著說。

趙升穿上子楚的衣冠，頭髮式樣一改，臉上再經過化粧，連呂不韋都分辨不出來了。

「果然像，但凡事只怕貨比貨，公子要找地方藏起來，不然兩相對照，萬一露出破綻就不好了。」呂不韋端詳著兩個人說。

「這怎麼可以？這怎麼可以？」子楚不斷重複這句話。

這時候趙升突然跪倒在地，兩眼含淚的說：

「趙升這樣做並不完全是爲了公子，有一半也是爲自己打算。小人在，公子不在，小人等於不在，只要公子在……」

「你怎麼這樣說呢？趕快起來！」子楚感激的要扶他。

趙升仍然跪伏在地，哽塞的說：

「公子身繫未來秦國及天下的安危，小人能代公子死，也是小人的光榮，何況不一定會死，只是……」

「有什麼事要交代，我一定會照辦！」子楚插口說。

「就是小人的兒子趙高，希望公子能栽培他成人……」說到此，他已哽咽得說不下去了。

「全包在我身上，我絕不會虧待他！我將視他和趙政一樣！」

「至於公子對小人的知遇之恩，也許只有來生再報了。」趙升又啜泣起來。

「應該是我報你的恩，」子楚也感動得淚如泉湧：「多少受我恩惠的人，此刻都已離我而去，我對你沒做什麼，你卻願意爲我死，請受子楚一拜！」

子楚也跪倒在地，要蘭兒按住趙升，他整整叩了三個頭。
這時候只見園中火把鑽動，人聲、腳步聲，沸騰雜亂，一名持刀兵卒到樓前大聲喊叫：
「趙王詔書到，秦國質子子楚接詔！」
呂不韋指指書房內夾壁，推子楚說：
「快！」
一陣紛亂的腳步聲已上得樓來。

9

「人要衣裝，神要金裝。」此話果然不錯。
趙升一經打扮，顯得飄逸瀟灑，儼然眞子楚一樣。
使者在客廳宣讀了趙王詔書，等趙升跪接以後，他再拿出一張圖形，仔細對照，沒有發現出什麼破綻。然後他再看看跪在趙升後面的呂不韋等人，咦了一聲問侍立在旁的一名軍官說：
「按照清冊，趙質子府中只留下了兩個下人，現在多出來一個是怎麼一回事？」
這名軍官正是負責監視此地的城尉，他拿過呂不韋的錢，准許這兩個老僕人來向子楚討帳。

他一時慌張，很久答不出話。

使者懷疑的看了呂不韋一眼，向他問道：

「你是從哪裡來的？」

趙升跪接趙王逮捕詔書以後，從容的站起來，對使者行了主人之禮，插口說道：

「使者請上座，蘭兒倒茶來。」

大概使者也心知肚明，雖然子楚已由國賓變成階下囚，但上國公子威風仍在，使者也不敢太過得罪，因爲國際間情況旦夕數變，現在的階下囚，說不定明天又是趙王座前貴賓，甚至是將來回國以後變成秦王，指明要他的人頭議和，那就太不划算了。所以他趕快行人臣之禮說：

「公子請上座，下官也是奉主上旨意，得罪之處，還請海涵。」

兩人最後還是分賓主坐下了，而使者仍不解疑的看著呂不韋，又問了一聲：「你是什麼人？來此作什麼？」

呂不韋暗中揑把冷汗，剛才怎麼沒想到這一點！他跟著躲進夾壁，不是一點事都沒有了，要是使者認得他，那該怎麼辦？他雖然不認識這位使者，但在邯鄲城內，認識他的人比他認識的人多得太多了。他只得裝著下人害怕大官的樣子，低下頭盤算該如何回答。

卻聽到趙升不急不徐的代爲解釋說：

「哦，上使是指這個人？他是今天下午到寒舍來討債的，我正在和他結算，上使就到了。」

「討債？公子眞是說笑了，上國公子會欠這種人的債？」

「話很難說，大債小債總都是債，再有錢的人也會欠人，再窮的人也有人欠，」趙升侃侃而論，眞有上國公子的風度：「他是邯鄲人，在寒舍受雇，上次解散，工錢未清，他眞是來要債的。」

呂不韋暗在心中讚佩，難怪子楚一直誇他是人才，這份臨危不亂的沉著，連他呂不韋也辦不到。

「其實這也沒多大要緊，主上臨行交代，說是要請的只是公子一個人，府上傭人要是秦國帶來的，由官府代爲處理，是趙人就解約回家，只是詔書沒明言罷了。」

「正好這三個人都是趙人，應該沒有問題了。」趙升笑著說。

使者向三個人一一問話，問的不外是家住趙國哪裡，家裡有什麼人等等，其實他是想聽聽他們的口音，正巧他們不但都是趙人，而且都是邯鄲本地人。

問完話以後，使者向趙升拱拱手說：

「公子臨事不慌的風範令下官佩服，現在時間差不多了，公子請！」
「不知上使要帶我去哪裡？」趙升問。
很明顯的，他問這句話的意思，乃是要想讓呂不韋他們知道他最後的下落。
「一個特別安置的地方，下官一時也說不清楚，公子請！」使者站起來，轉身向呂不韋他們說：「限你們一早離開，明天早晨這裡就會查封。」
使者帶頭走在前面，十多個兵卒押著趙升下樓而去。
趙升臨行，留戀的看了屋內一眼。

10

呂不韋一行四人，全是青衣小帽僕僮打扮，蘭兒裝扮成一個俊俏的小書僮。
呂不韋帶來的那個僕人在前面帶路，他對邯鄲城的小街小巷瞭若指掌，更清楚哪裡站有崗哨。爲了防止秦間諜活動，邯鄲城內已戒嚴，入夜後禁止民眾外出，因爲在秦軍圍城這段時間裡，已發生好多起秦間縱火，目的是擾亂軍民心理及指示秦軍攻城方向。
他們的目標是西門，城監已被呂不韋買通，放他們出城。
他們快到西城的時候，在一個城牆一間破屋停留下來，呂不韋要那名僕人去聯絡門監，看如何讓他們出城。

子楚看到城牆站滿兵卒，稍有一點空隙的地方，都有執戈帶刀的兵卒來往巡邏，子楚暗暗在心內叫苦，但他對呂不韋有信心，相信他會有他的辦法。

不過他在心裡總有一個疑團，不問清楚不舒服。於是他細聲向正在沉思的呂不韋說：

「呂先生，到現在我還有件事不明白，始終悶在心裡。」

「什麼事，請說。」呂不韋也輕聲回答。

「趙王怎麼會派一個不認識我的使者來？」

「認識你的侍中本就不多，而且他們認為你的住處一直有人看守，只要你不外逃就好，再也想不到我們會用李代桃僵之計。」

「不錯，尤其是這種要命的情形下，願意冒充的人可說是絕無僅有，」子楚長長的嘆了一口氣說道：「我不知道該如何報答趙升。」

「這個答案很簡單，」呂不韋苦笑著說：「今晚出得去，你什麼報答都做得到，今晚出不去，就一切免談了。」

「不知道楚玉夫人和趙政那邊怎麼樣了？」久不說話的蘭兒這時插嘴。

一提起楚玉夫人和趙政，兩個男人的尷尬心結就出現了。這是他們共同的女人和兒子，誰都不願先提起。子楚是眞的不在乎，而呂不韋極其關心，卻無法形諸言語。

「噫，算時間，呂福應該回來了，莫非出了什麼差錯？」呂不韋扯開了話題。

「是啊，怎麼這久還沒回來？」子楚更是著急：「要是門監那裡出了事，我們是否有其他對策？」

「應該不會出事，你知道我花了多少錢買通他？黃金千兩，先付了五百兩，事成以後再付五百兩，看在還未付的這五百兩黃金份上，我想他不會出賣我們，再等會看。」呂不韋信心十足的說。

「不必等了，」這時候空屋另一角黑暗處走出幾個人來，全都一式的黑衣服，是帶頭的一個人在說話：「千兩黃金和一個未來秦王相比，又算得了什麼。」

子楚緊張得站起，拔出佩劍準備抗拒，呂不韋按住他，卻高興的回答說：

「原來是趙老！你怎麼也來了？」

「一來是要告訴你們，楚玉夫人和趙政在我那裡住得很好，二來是通知你們，事情有變，趕快離開這裡，」趙悅帶笑的說：「不韋在黑暗中一聽聲音就知道是我，不簡單！」

「趙老低沉圓厚的聲音，只要聽過一次就無法忘記，何況不韋和趙老相交，也非一朝一夕了。但不知事情爲何有變？」呂不韋開頭客套幾句，內心卻是著急得不得了。

「李代桃僵之計瞞得了一時，瞞不了永久；瞞得了一人，瞞不過眾人。趙升一押回廷尉大牢，就被廷尉認出了。」趙悅在子楚身邊坐下，其餘的黑衣人分赴屋外警戒。

「那個侍中豈不是要倒楣？」子楚接口問。

「侍中早就跑了，」趙悅低沉的嘿笑：「公子當他眞不認識你？趙王也不會馬虎到這種地步！」

「這麼說，那位侍中也是趙老買通好了的？」呂不韋問。

「不是買通，他也是我們自己人，」趙悅壓低聲音說：「這次援救公子的計劃龐大，動用了所有能動用的組織和關係，而且秦軍方面也有配合行動，亥時要發動攻城，讓公子得以在混亂中出城。所以剛才老朽說，不韋花了五百兩黃金算得什麼？安國君出的賞金是黃金千斤。」

「難得父親這樣關心我。」子楚心上浮起一陣酸楚。

「不全然是安國君，部份是華陽夫人日夜泣求的結果。」

子楚感到愧疚，他和呂不韋只是在利用她，欺騙她，想不到她卻是一片眞情！

「我們得立即離開這裡，廷尉一發現公子是假的，立即派人控制了八個城門的門監，呂福這久不回來，恐怕已出了事。」

「什麼事彷彿都在趙老的控制之中，不韋眞的佩服。」呂不韋發自內心的說。

「沒有什麼，這只是趙某平日待人誠懇，蒙大家也以誠相待，禁聲！」他傾耳聽了一會，細聲說道：「戒備，有人向這裡接近！」

子楚和呂不韋此時也聽到腳步聲整齊中帶著凌亂，大約有十多人之多。

「是趙軍的巡邏隊！」呂不韋壓低聲音說。

「剛才我聽到屋裡有聲音，要不要搜一搜！」有人問。

子楚和呂不韋抓緊佩劍，趙悅按住他們：

「拔劍會有響聲，暴露位置。他們要是闖進來，我那幾個護衛會解決。」

接著聽到趙軍中又有人說：

「這一帶都是空屋，只要風吹草動就搜，哪有這大的精力？」

「這兩天戰事沉寂，秦間反而活動得厲害，放火、殺官、謠言滿天飛，爲了妥當起見，我們還是搜一搜。」似乎是帶隊軍官在說話。

這個人話還未說完，就丟了一塊石頭進來，正好擊中蘭兒的腿，女人不經痛，竟然哎唷一聲叫出了口。

「眞的有人！弟兄們散開搜！」帶隊軍官下達命令。

「啊，這下可發財了，不知道有多少，一個秦間賞錢十貫，兄弟們，上！」有人在高興的叫喊。

子楚和呂不韋站起拔劍，蘭兒緊偎在子楚身後，全身顫抖。

「都是我不好。」蘭兒顫聲自責。

「不能怪妳，誰挨這一下都會叫痛。」子楚輕聲安慰。

只有趙悅坐在原地不動，一副老神在在的樣子。

忽然，那幾個黑衣人不聲不響的發動攻勢。只見他們時分時合，有時一人阻擋數人，有時數人圍攻一人，跳伏挪騰，片刻工夫，已將十多名趙軍殺得一個不剩。

乒乓的刀劍戈矛廝殺聲以及死者臨死時的慘嗥，雖然爲時短暫，卻已驚動了城牆上的守軍。

有人發出警訊，不一會執著火把的大隊人馬，從好幾處圍向這裡來。

「走，離開這裡。」趙悅首先帶頭，靈貓似的飄出了這處空屋，呂不韋執劍緊緊相隨，子楚拉著全身已發軟的蘭兒極力追趕，幾名黑衣人散開壓後。

突然，城外響起了秦軍的吶喊聲，強弩射出的火箭、發石機發出的石塊，像飛蝗一樣紛紛落下。

雲梯、飛索、雲台上爬滿了秦軍，就像附在糖塊上面的螞蟻。破門車撞城門的沉重響聲，數里外可聞。

吶喊聲、廝殺聲，在整個邯鄲城四周和城牆上下響起，使人聽了不寒而慄。要來搜查的趙軍，急忙趕回城上防守，已沒有時間再顧這邊了。

他們順著城牆邊的空屋牆角簷邊，曲折的來到這一處城牆下面，城上的守軍正忙著廝殺，根本顧不到下面。

「到了，跟著我來。」趙悅和黑衣人搬開幾塊僞裝的草皮，下面有一條隧道，看樣是老隧道，而不久前才加寬。

子楚跟著鑽了進去，先是黑悶狹窄，走過大約一半時，變得越來越寬廣。等出得隧道時，只見一名秦軍都尉已率兵等在隧道口迎接。

「慶賀公子脫險。」他拱手行軍禮。

「將軍免禮。」子楚等還禮後環視左右，卻已不見趙悅等一行人。

「眞是神龍見首不見尾。」耳邊只有呂不韋在讚嘆。

子楚的手中又塞進了蘭兒滑膩卻仍顫抖不停的小手。

◉第4章

化龍鯉魚

1

秦軍圍攻邯鄲一直延續到九月，其間秦軍增援數次，並調動過一次統帥。原統帥五大夫王陵因作戰不力撤免。秦昭王力請武安君白起為將，白起稱病不肯奉詔。

八月，王齡至邯戰代王陵為將，秦軍加緊攻城，到九月底，數次攻城戰中，秦軍傷亡慘重，但仍不能拔。

另方面，楚春申君所率二十萬大軍，以及魏公子信陵君所率數十萬人中挑選出的八萬精兵，及時到達，圍攻秦軍外圍。只因邯戰城中，軍民協同作戰，精壯傷亡過半，已無力發動反攻，否則裡應外合，秦軍就有被殲危險。

王齡見情況不對，只得報准秦王，下令撤軍。回程中，將怒氣都發在魏楚身上。秦軍一路攻擊，斬首六千，魏楚軍競相奔逃，僅只淹死在黃河裡的人就高達兩萬多。

自子楚逃回秦軍的當時，趙王發現逮捕到的不是子楚，而只是一個家人時，脾氣發得將心愛的玉瓶都摔碎了。當時他就下詔廷尉通城搜捕，一定要將子楚和他的妻兒緝拿到案，並搜捕賣放子楚的那名侍中。

第二天趙王仍然以秦國世子的名義斬了趙升，將人頭掛在城樓上示眾。他的意思是同時向秦軍和趙國軍民宣示抵抗的決心。

但搜捕多日，始終見不到子楚和妻兒的蹤影，後來才得到消息，子楚已逃回秦國，而妻兒是藏匿在趙莊。當時趙王雖恨得牙齒都咬得發酸，一心要殺子楚妻兒洩恨，但趙莊在城外，雖然是在趙軍控制之下，卻無法搜捕到他們。等到邯鄲圍解，查到楚玉夫人及趙政的下落，但想到和秦國要談和，再顧及趙悅的影響力，也就睜一隻眼閉一隻眼，裝作不知道就算了。

其實他也知道，他就算嚴命緝拿，遇到趙悅的事，下面還是會推、拖、拉，不了自了，他樂得賣一個人情，因為以後大小事情，要趙悅協助解決的還很多。

但不知是子楚回國後太忙，還是有意遺忘，邯鄲圍解，秦趙達成和議，子楚一直未想到接楚玉夫人及兒子回國，連談判中都未提起。

楚玉夫人母子就像是不存在的邊際人，生活在趙國的邯鄲趙莊。

2

秦昭王五十二年，趙成王五十年。

趙政五歲。

楚玉夫人住在趙莊，一晃就是三個年頭。

承蒙趙悅的照顧，他們一家過得非常舒服。趙悅本身兒女都已長大，出嫁的出嫁，遊宦的分散在各國，夫人早逝，只剩下他一人，雖然平日交遊廣闊，整天有忙不完的事情，但每逢黃昏懷舊，或是夜半夢迴再難入睡時，那股老年特有的淒涼寂寞，再怎樣也排解不去。

有了楚玉夫人和趙政以後，說也奇怪，在她的噓寒問暖之下，在趙政童音的笑聲中，這股多年來纏繞他心頭的淒涼和寂寞感覺，竟在不知不覺中一掃而空。

他愛他們眞是遠超過自己親生女兒和外孫。

雖然趙莊是個小地方，但離邯鄲很近，邯鄲能享受到的一切豪華奢侈，這裡也享受得到。趙悅的交遊和財勢，再加上子楚提供的費用，夠她過王后般的生活。

事實上，她在趙莊過的也是這種生活，一呼百諾，想要什麼就有什麼，完全不像一個被嚴令通緝的敵國罪婦。

可是她在內心中並不眞正快樂。

第一，她弄不懂爲什麼子楚不想法子讓她們母子回國，邯鄲之圍已解整整兩年多，和議已達成，邯鄲又恢復了昔日繁華面目，兩國間仇恨也在淡褪，秦國要求送他們母子回國，應該是一點問題都沒有的。

同時她也得到消息，子楚不但納蘭兒爲姬，正式命名爲蘭姬，而且是學他父親安國君的樣，廣納姬妾，聽說是想要多生兒子，卻三年來仍然沒有生出一個來。

難道說就是爲了討厭她和趙政，就準備將她們母子永遠丟在趙國不管？

第二件使她耿耿於懷的事是趙政越來越懂事，也越來越像呂不韋。認識的人常客套的說，趙政的俊秀勝過他父親子楚，但她怎樣找，在趙政身上臉上也找不出絲毫像子楚的地方。眾人有意無意的誇讚，在她聽來像快刃，像利箭！

儘管他們在物質生活上過的生活，和周圍樸質鄉人是天壤之別，卻也就因爲這個緣故，他們被孤立在人群之外。大人可以不理這些，但趙政是個孩子，他需要平等的玩伴，而不只是卑躬屈膝諂言媚笑的僕婢大玩具。

所有趙莊的大小孩子爲趙政取了個綽號，他們不叫他趙政，而叫他「秦棄兒」。

雖然趙悅對外宣稱趙政是他的親外孫，可是不知傳言是如何不脛而走的，愚騃的村民似乎都明白趙政的底細，而且還知道他八個月出生，長得不像父親，而像另一個人。

大人都忠厚，不會當面提起，小孩子可沒有那麼客氣，每逢趙政想參加他們的遊戲，就會有人抗議：

「我們不跟棄兒玩！」或者說：「我們才不要雜種參加！」

甚至有些孩子還編了一首兒歌，跟在他背後唱——

娘偷漢，生雜種，
爹不要，棄河東，
棄兒，棄兒，
有娘無爹！
棄兒，棄兒，
棄之河東！

趙政的反應，先是跟他們打架，五歲的孩子打得過誰，反而常被打得鼻青臉腫。回家時他卻不吭一聲，楚玉夫人看了心痛，怎麼問都沒用，只有責罵奶娘。但奶娘也有說不出的委屈，趙政哭鬧著不准她跟，他要獨自出去找同年齡的孩子玩。

最後，楚玉夫人只有命兩名健僕隨時保護，走到哪裡跟到哪裡，趙政離群兒更遠，他也更孤立，五歲的孩子，竟然失去歡笑，臉上滿佈成人的憂鬱。

楚玉夫人決心搬回邯鄲，大城市的人比較不會管別人的私事。再說，在城裡的閨中密友較多，不會這樣寂寞。

經過和趙悅商量，趙悅也同意她的看法，外加趙政逐漸長大，五歲應該是開始學習，爲將來學習帝王學打基礎的時候了。

趙悅和她一起搬回邯鄲，住在他在邯鄲東門的別業裡。呂不韋在趙國的財產，此時已完全遭到查封。

3

遷移到邯鄲以後，這方面的困擾的確減少了。深宅重院，加上楚玉夫人活動還不能完全公開，來往的都只是一些至親好友和故舊的眷屬，這些人都屬於高級階層，懂得如何掩飾僞裝；她們的孩子也大都富於教養，儘管背後批評挖苦的話，猶勝於趙莊的孩子，但絕不會像那些粗鄙人一樣，當著面在趙政面前唱童謠。

趙政和他們地位相等，出身背景大致相同，玩在一起，雖然有時免不了發生點吵嘴打架和不愉快的事，但他像魚游在水中，互得兩忘，不再像和趙莊那些孩子一樣扞格不入。

不過，楚玉夫人想到他的基礎教育問題。

按照秦宗室法律，太子公子五歲要接受嗣子基礎教育，包括詩、書、禮、樂、射、御和劍法。十二歲多養成教育，學習項目包括政經之術、兵法、刑名等深一步的學問，此外也可按照自己的興趣，研讀其他天文地理、諸子百家等較高深的學問。十五歲接受個別教育，按照太子、嫡嗣子、庶出公子……等等級，分別受不同的訓練。而太子和嫡嗣子所受訓練特別嚴格，有太師教授帝王學；太傅督導品德修養，管理生活起居，以及外交應對等儀節；太保則負責身體保健及安全護衛等事宜。

在楚玉夫人的心目中，她的兒子是當然的未來秦王繼承人，目前雖然屈居趙地，但絕不能因此耽誤了他帝王學的基礎教育。

有一天，她向趙悅提到這個問題，趙悅微笑著：

「我有一個老友倒是理想人選，只是他早已隱居，不問世事，他收不收趙政，要看他的造化。」

「這位老先生是何來歷，爹爹是否能告知孩兒。」楚玉夫人有點不放心的問，因為隱士多半性情怪異，孩子受折磨不說，教得走火入魔，那就得不償失了。

誰知道趙悅的回答就詭異得很，他笑笑說：

「妳信得過老爹，就將趙政交給我，我敢將趙政交給他，當然是有把握。至於他的來歷，他不願別人知道，我也要遵守和他的約定，不會跟任何人講，包括女兒妳。」

楚玉夫人懷疑的看著他，很久，趙悅才無奈的說：

「好吧，我只能透露一件有關他的事。他當年曾廣收門徒，教出不少人才，其中有的是如今仍縱橫於政壇和疆場上的王侯將相，但看到這些人用他傳授的學問，整天攻城略地，打打殺殺，苦了天下百姓，他灰心極了，於是跑到趙國來隱居，自號中隱老人。」

「他住在哪處深山大澤？趙政送得太遠，女兒會不放心。」楚玉夫人半開玩笑的說。

「他號中隱是取大隱隱於朝，中隱隱於市，小隱才隱於野的意思，當然就在邯鄲城內，而且租的是我的房子和空地。」

「他靠老爹供養，也算是您的門客？」

「那才不是，他住我的房子，利用我的空地種瓜，然後挑到市場上賣，他靠此維生，卻每年不少我的租金半文。」

「這……」楚玉夫人沉吟了很久，最後才冒出一句似笑話卻又不是笑話的問話：「他不會只教趙政種瓜賣瓜吧？」

「當然，」趙悅忍不住哈哈大笑：「教趙政種瓜賣瓜是少不了的，但我敢保證他能教趙政的絕不只這些。」

「……」楚玉夫人沉默不語。

趙悅嘆了一口氣說：

「女兒，眞正的好帝王只有隱士才教得出來。妳想想看，一般太子或嗣子師傅，對帝王都有所求，更隨時都怕教得不稱帝王的心，會受到責罰，甚至帶來殺身滅門之禍，他們怎敢盡平生之學傳授？只不過照著以往不會出錯的舊路走，這能教出什麼傑出帝王？隱士則是無所求亦就無所懼！」

「爹爹，女兒聽您的安排。」

「我去試試看，收不收還得看趙政的造化！」

沒幾天，趙悅帶回話來了。

中隱老人願意收趙政當他的關門弟子，但有幾個條件要先講好。

第一，他要看趙政是否生有好帝王之相，若不夠格，不收。他的理由是：龍生九種，並不是每個龍子都能變成飛龍在天的龍。也許他還知道趙政是呂不韋的兒子，根本不是龍種，不過在趙悅極力推薦下，他想看看趙政是否是跳躍龍門就能變龍的鯉魚，只是他沒說出來。

第二，他任何教法，家長不得有異議或參加意見，否則退學，罰則照中途退學辦理。

第三，趙政要住在他那裡，每個月只准省親三天，而且要學就是三年，不得中途退學，違者罰介紹人——也就是趙悅——爲他種瓜三年。三年後再視成績決定是否繼續收留。

第四，學生不得帶伴讀書僮或女婢，一切日常生活事務自理。食衣住行由他負責調配，家長不得自送衣服食物，否則退學，罰則按中途退學辦理。

第五，除上述條件外，首先趙政需通過入學測驗，辦法另訂。

第六，以上條件需以文字正式訂約。

這些條件將楚玉夫人聽得膽戰心驚，不斷搖頭，她猶豫的問趙悅說：

「爹爹，您眞的放心將趙政交給這樣怪異的人嗎？」

「女兒，不錯，越是有眞才實學的人越是在旁人眼中顯得古怪，但這些條件總括起來，不外乎是要他學得有始有終，切斷所有半途而廢的後路。妳想想看，爲父都不怕爲他種瓜三年，妳還怕什麼？」趙悅笑著說。

「這倒也是，」但楚玉夫人仍不放心：「這樣小的孩子，沒人照顧怎麼行？」

「這是要訓練趙政從小學會獨立，同時，女兒，妳別看他話說得兇，其實他長相慈祥，很受市井孩子們的歡迎，走到哪裡都有孩子圍著他。他有他一套敎養孩子的辦法，我相信比我們用的方法會更好。何況趙政要練劍就需先培養體能，練武人的飲食和起居都需要和常人不一樣。妳相信我，就得相信他！」

楚玉夫人只有抱著一試的心理答應了，好在違約罰種瓜三年的不是她！

4

入學測驗的當天，楚玉夫人沒有出面，只是由趙悅帶著趙政緩慢的由東門走向西門。他們不敢坐車，因爲中隱老人告訴過他，走路本身就是最好的運動，公子王孫練武，坐著車子而來，再坐著車子回去，中間只比劃幾下招式，根本是浪費時間，也練不出好體能，要學武得先從走路跑步開始。

走路就花了他們將近一個時辰。

「累不累？」看到五歲的趙政走得臉上冒汗，趙悅有點憐惜的問。

「不累，」趙政在街上一邊走一邊東張西望：「比坐車好多了，看到的人與東西和車上看到的都不一樣，還是走路好玩些。」

趙悅暗暗在心中稱奇，這孩子眞的和一般人不同，別的孩子走這麼遠，早就賴著不肯走了。

中隱老人住在靠西門城牆邊的一間木屋裡，四周有很大的空地，大部份都種了香瓜，現在正是香瓜收成的時候，遍地綠色中夾著金黃。

木屋分成四間，中間對門的是一間寬敞的客廳，擺設簡單整齊，明窗淨几，一塵不染。

趙悅常詫異，他一個人要種瓜賣瓜，自理飲食，哪有這多時間來收拾屋子？更不談他還要精研各種學問。

中隱老人的理論是——一室之不治，何以天下國家為？治國平天下一定要從修身開始，而修身最要是能做到凡事都有條理。

至於時間分配，他也有他一套妙論：用腦力與用體力互相調節，就可以長時間工作而不累。譬如他自己，讀書或是想事想累了，就到田裡種瓜，身體在勞動，腦子卻在休息，反之亦也如此。所以一天十二個時辰，除了固定睡四個時辰外，他可以接連工作十六個時辰不累，近來因為年紀大了，工作時間自動縮短，但一天也至少連續工作六個時辰。

至於時間的利用，他認為除了非常重大或危險的事要全神貫注外，一個人應該訓練自己可以一心二用甚至是三用，這樣可用時間就可增加一倍或兩倍。他用自己作比方說，他和趙悅聊天的時候，手上絕不閒著，他不是編籮筐，就是一邊談一邊掃地擦桌子，甚至在腦子裡想其他問題，其他以此類推。不過也要訓練自己知道如何適當搭配著做，以免同時誤了兩件或三件事。

當趙悅帶著趙政抵達時，他正在客廳裡坐著編籮筐，他站起來點頭示意，表示歡迎，手上編的動作仍然未停。趙悅自動坐上客席，他要趙政跪在中間的中隱老人前面。

「孩子，抬起頭來看著我。」聲音溫和慈祥卻帶著威嚴。

趙政像被催眠似的，兩眼注視著他。此時像鐵片遇到磁石一樣，感到這位髮鬚皆白的圓臉小眼老頭，對他有著莫大的吸引力。

老小兩個就這樣四目相對，室內空氣沉悶而緊張，這時候，一條小黃狗走到趙政身邊，搖著尾巴，爬到他身上，伸出舌頭舔他的臉，趙政癢得想笑卻不敢。

兩人對看了很久，小狗在舔個不停，老人手上動作也未停，很大一會，老人睜大眼睛，趙政才發現，他的眼睛瞇著時看似小，睜開卻很大，而且目光如炬，眼神像利刃讓他背脊都發涼。老人轉向滿帶期待神色的趙悅說：

「這孩子長得隆鼻，長目，兩眉入鬢，表示他意志堅定，雄心勃勃。再看他胸向前突，這在相法上謂之摯鳥胸，爲人性格悍勇，敢作敢爲，將來成就必大於諸先秦王。雖非龍種，卻是難得的變種鯉魚！」

「這麼說，老哥決定收了？」趙悅欣喜的說。

「這只是第一關，等下還有三道測驗題，測試一下他的資質反應，然後再作決定。」老人認眞的說。

「唉，五歲的孩子，又是養在深宅後院的婦人女子之手，能懂得什麼？老哥就馬虎點吧。」

趙悅嘆了口氣。

「資質是天生的，非人力可以改變，不是美玉奇石，不值得我費工夫來雕琢，」老人毫不讓步：「當然我會知道詰問五歲的孩子什麼問題。」

趙政對他們的談話懂不了多少，他仍然跪在原地不動，小狗看舔他毫無反應，也就睡到門邊去了。

「趙政，」老人仍舊語氣溫柔：「將剛才舔你的小黃喊過來。」

「這也是測驗題目？」趙悅驚奇的問。

「稍安勿躁。」老人制止住他。

趙政遵命喊了幾次「小黃」，小狗只看看他，仍然懶懶的躺著不動。老人只喊了一聲，小狗就箭似的搖著尾巴奔了過去。

「趙政，回答我，爲什麼你喊牠不來，我一喊就來。」

「因爲……因爲你常給牠東西吃，而我沒給牠吃過。」趙政回答。

「假若你現在手上有吃的，牠會不會到你那裡去？」

「那要看牠肚子餓不餓，餓就會，不餓就不一定。」

「再問你一個問題，現在我要你去牽一條牛來，辦不辦得到？」

「大牛我可以牽來，小牛我辦不到。」

「爲什麼？」老人似乎也對他的答案感到意外。

「大牛穿了鼻而且是綁在固定地方，我拉他，他怕痛，一定會跟我走；小牛沒穿鼻，又會亂跑，我追他不到。」

老人皺皺眉頭，趙悅在一旁忍不住哈哈大笑。

「我再問你，假若你走在深山裡，前面是一道獨木橋，後面有隻野狼在追你，你又不會游泳，你要怎麼辦？打狼還是上橋？」

「沒有關係，在趙莊我學會爬樹，深山一定有大樹，狼不會爬樹！」趙政微笑著說：「我爬到樹上去！」

「好，你到外面去玩會，我有話要跟你外公講。」

「是。」趙政得救了似的，高興地往外跑，這次不等他喊，小黃也追在他後面。

「老哥，怎麼樣？收了嗎？」趙悅笑著先問：「五歲的孩子這樣古怪精靈，眞是少見。」

「的確是異乎常兒，答案都是在我控制之外。照常理推斷，第一個問題一般這大的孩子會回答狗是你的，當然聽你的。第二個問題會回答敢或不敢。第三個問題通常會答回轉身來與狼打，以示勇敢，或是選擇上獨木橋表示無奈，但他有第三種選擇，這代表他不會受常規的束縛。」

「這樣簡單的問題也可測出他的資質？」

「當然，我已測驗出他獨立大膽，卻思想縝密，考慮周到，並且不受任何約束，敢海闊天空的想。只是可惜……」老人惋惜的遲疑。

「可惜什麼？」趙悅追問。

「此子鷹視虎步，狼音豺聲，可共患難，不能分享成功，不得意時能謙卑下人，得意後刻薄寡恩。」

「只五歲的孩子，你能看到這樣多麼？」

「老朽閱人多矣！」老人嘆了口氣。

「那你到底收是不收？」

「當然收，這種曠世奇才，怎能錯過！何況有時候人能勝天，我儘量設法在教育中培養他一點敦厚。」

「你是說他會像越王勾踐一樣？」趙悅忍不住又問一句：「堅忍不拔，終能復國，然後殺害功臣？」

「越王勾踐和他相比，眞是螢蟲比秋月，他若當了秦王，天下不是大亂就是大治！」老人又嘆了一口氣。

5

這眞是一幅動人的畫面——一位髮鬚皆白的老頭，紅通通的圓臉上始終掛著慈祥的笑容，他挑著一擔香瓜，旁邊跟著一個俊秀小孩，小孩後面又跟著一隻斷了半截尾巴的小黃狗，走到哪裡都圍著一大堆孩子。

老人似乎志不在賣瓜，他只帶著小孩大街小巷的轉，到了中午，不管瓜是否賣完一定回去，剩下的瓜就送給那些孩子吃，這也許是孩子們喜歡圍著他們的主要原因。

老人對趙悅解釋，這是給趙政最好的機會教育，走路可以健身，而轉大街小巷，尤其是那些難民群居的貧民窟，可以讓趙政知道民間疾苦。和小孩相處，則是培養他與群眾相處的領導能力。

中午飯後，稍事休息，趙政開始學書擊劍，有時候也會跟老人到田裡工作，晚上又是複習白天的功課，或是教他鍛鍊身體之道，第二天又是周而復始。但老人的教育方式是啓發自動式的，趙政不想做了，他也不勉強。

三年間，趙政得到了基礎教育外更多的東西。老人將隔在他和眞實世界之間的簾幕拉開，教他認識這個世界歡樂溫馨的一面，也看到悲慘病苦的另一面。

在街上的孩子對他沒有嫉妒，也就沒有排拒和譏刺，他們全不知道他的來歷，對他從內心中接納。只有社會地位和經濟狀況相當的人，才能不做作不虛僞的互相從內心接納，有如車的兩輪，必須同高才能維持平衡，在友誼的路上才走得久走得穩，一方面暫時將就或高攀是維持不久的。

街上的孩子不知道他是秦國的世子，更不會知道有關他和呂不韋之間的這段糾纏，他們把他當作完全平等完全相同的人。他們共分食物，共同攜手唱歌跳舞，有時也互相對罵打架，甚至是無理取鬧的欺侮對方，但都是站在相同和平等的立場。相同而平等的人，是共同生活在一個充滿友誼陽光的世界裡，所有的相罵鬥氣只是片片烏雲，很快就會消逝過去。

在這些孩子當中，他甚至還認識了一個他初戀的小女孩，假若那種孩子氣純純的依戀也能稱作戀愛的話。

當時他八歲，而那女孩應該有十二、三歲了，她已開始發育，是由兒童正蛻變爲少女的尷尬年齡，少女群中嫌她太小不懂事，兒童卻又見她長得又高又大，身體已在變形，非他們族類而加以排斥。

她家裡應該很有錢，高大的圍牆，長長的一大段，佔了整條巷子的一大半，紅色的小木樓，正好高出圍牆一截，站在小樓的迴廊裡，可以俯瞰整條大街和鄰近小巷。牆邊有幾棵桃樹，春天開滿粉紅色的花，高及小樓的一半，站在牆外看，在迴廊上走動的人，就像在花枝叢中穿動一樣。

這個女孩每個清晨就站在這種花叢中看街景，他卻爲她清秀的臉和俏麗的身影所迷住。每天，老人照例要在這條行人眾多的小市集賣上一、兩個時辰，就讓趙政和市集的兒童玩耍。

八歲春天的那段時間，自從他發現到這個每天都痴立小樓看街景的女孩後，他突然間對那些孩子失去興趣。他喜歡站在牆外，看著那個痴看街景的女孩，直到她消逝在小樓裡。有時他只能看到她片刻時間，有時卻能呆望她一、兩個時辰，直到有孩子們來找他，告訴他老爹要走了。

一段時間後，她似乎也注意到他，開始向他微笑或是招手，或是交談幾句話，後來，禁不起街景的誘惑和他的招喚，她偷偷的下樓，溜出花園的後門，一起到街上玩。

她牽著他的手，就像個小姊姊，可是每逢他接觸到她柔膩溫暖的手心時，就會心跳加速，全身顫抖。他接觸過很多女人的手，母親的、奶娘的、婢女們的，但都不會產生這種美妙、有如電擊的微妙感覺。

他只知道她名蓮兒，她也只知道他叫趙政，除此以外，他們都未問過對方的家世背景，只知道兩人在一起很愉快就夠了。

有的時候，他會站在牆下等待很久，這時候她會出現在小樓上向他搖手，他就知道今天她出不來了。他帶著點失望離開，但並不沮喪，還有明天，孩子們的明天多過成人，希望也多過成人。

每次玩到老人快走的時候，女孩總會催他：

「老爹要走了，我也該回去了。」她輕盈的背影隱入門後，隔會又會在小樓花樹叢中出現，她向他擺手說明天見，這時他會在心底升起一股惆悵，但隨之而來的是期待明天的希望。

這樣持續了將近一年的時間，由桃花盛開的春天到冰雪封地的冬天，直到有一天女孩不再出現，連等了幾天，最後才絕望，他始終不知道她的家世背景，也不想進門去打聽，她的來和去，就像一片彩雲。

但很久很久，她的身影和桃花半蓋的小樓常會在他夢中出現，在他離開趙國，甚至是登上王位以後，仍然如此。

6

當然，眞實世界中總有它悲慘醜惡的另一面。

在老人的引導下，他也看到許多他以前想像不到的情景和場面。

眾多低矮陰暗的草屋裡，一家十幾口擠在一張炕上，無論春夏秋冬，屋子裡都是陰森潮濕，充滿惡臭，那是體臭、霉臭、垃圾臭等等臭味的混合品，很難說出那到底是屬於哪種臭。

屋頂牆壁坑坑洞洞，晴天固然可以躺在炕上就欣賞到天上的星星，但下起雨來，卻往往是屋外下大雨，屋內下小雨；屋外下小雨，屋內也會氾濫成災。

光著身子的嬰兒，在潮濕的泥土地上爬著，或是吸著營養不良母親的乾癟奶頭，吸不出奶，放聲大哭。

走進這些貧民窟，趙政不免會奇怪，爲什麼他的家裡是只有他一個小孩，那多的大人像眾星拱月一樣護衛著他，跌倒一下，就有很多大人圍上來，問東問西，像是天要塌下來的大禍事；這裡卻是數不清的大大小小孩子，卻看不到幾個大人，大小孩揹小小孩，小小孩牽更小的小孩，嬰兒就像小狗一樣，在泥土和垃圾中爬行打滾，抓吃自己的排泄物。

戰爭減少了精壯，老弱卻增加了。

他在市集和一些大街小巷上，也看到成群的難民，他們連這種破爛霉臭的棲身之處都沒有。他們大都是老弱婦孺，女的大都背上揹著嬰兒。有的手上牽著一個，懷中抱著一個，還有一個拉著她的裙邊。其中有很多長相清秀的，一眼就看得是有教養、好家世出身的，她們牽揹著孩子，腼腆的在人群中轉來轉去，臉紅紅的，一副想伸手乞討卻伸不出來的樣子。

遇到這種情形，老人會將準備的一封封銅錢，要趙政送到她們手上，順便帶幾個瓜分給那些孩子。她們會囁嚅著道謝，手撫摸著正狼吞虎嚥著香瓜的孩子的頭，眼淚汨汨的流出來。

他也看到世界上最悲慘的事：成堆的傷殘軍人，斷腿缺胳膊的穿梭在市集行人和店舖間乞討，他們有的還穿著破舊的軍服，上面沾滿了血的痕跡，有他們自己的，也有敵人的。

他們大都是長平之戰倖存的人。有的是家鄉仍在秦軍手上，有家歸不得；有的是回家以後，發現親人死的死，散的散，田園荒蕪，房屋燒得一乾二淨，自已又傷殘，無力再獨自重整家園，只有到邯鄲來謀生，但邯鄲居大不易，傷殘人到哪裡都沒人請，最後只有流落街頭。有的是自小離家，在軍中混了太久，家是否在，還有親人否，全都不清楚，他們不想回家，認爲邯鄲大城，討起飯也比較容易些，也就聚集到這處國都來。

他們中間有人攔住行人乞討，口口聲聲說是長平之戰的殘存者；有的項上掛塊木牌，上寫「國家負我」；有的還跪在地上，前面洋洋灑灑寫著千言告父老書，說明他與秦軍作戰受傷及來邯鄲的經過。

有的就坐在那裡，兩眼空洞的望著天，沒有希望也沒有絕望，就是那樣沉默的坐著。他們有的人鬧著要見趙王，但一接近到王宮多少條街以外，早就被他們昔日的同袍——王城的護衛軍擋住了。這些衣鮮盔明的趙國精銳，對這些傷殘同袍不但沒有憐惜，反而覺得他們丟了軍隊的臉，拳打腳踢，毫不留情。

也許，趙王永遠不知道這些人的存在，每次他出巡或狩獵都要先清道，他看到的是整齊乾淨的街道，已經或者正在修復的雕閣畫樓和亭台樓榭。每次他所到的地方都是一片歡呼聲和道賀聲。左右大臣都告訴他，趙國本來就富足，邯鄲圍解後，經過一年多休息調養，已經恢復元氣，農村城市都在欣欣向榮。

針對趙政對這些傷殘軍人的同情和感慨，老人對他進行機會教育說：

「人間最愚蠢的事就是戰爭，雙方有什麼問題都可商量著解決的，戰爭不但不能解決問題，反而製造了更多的問題。」

「但為什麼從黃帝戰蚩尤開始，天下的戰爭幾乎沒停止過呢？」趙政天眞的問：「國與國之間為什麼要打仗？」

老人猶豫了，連他自己也找不出單純眞正的原因，也許要討論人為什麼要戰爭，可以寫成一本大書，但研究如何戰爭的兵法很多，他就沒有見過一本研究戰爭根本原因及如何根除戰爭的書，將來有時間他要深研寫一本。

也許戰爭是人類的天性吧？不僅是爲了生存！

「老爹，」趙政高興的拍手大叫：「天底下也有老爹回答不出的問題！」

「那你爲什麼要打架呢？」老人反問。

「很多很多原因，一時說不清，」趙政說：「但是我只知道，要有一個能壓服眾人而又公平的人，我們中間就會打架少一些。」趙政緊鎖兩眉沉思，已經是成人的表情。

「國與國要打仗，和小孩要打架一樣，表面上是只爲一個原因，實際上原因多得很。」老人也深思的說。

「哦，我明白了，」趙政說：「國與國之間打仗，就是因爲沒有一個強大得能壓制諸國的人，就像小孩打架沒人管一樣，只要有人管，小孩們就不敢打架。周王室強盛的時候，戰爭就少得多！要天下沒有戰爭就要天下統一！」

「假若別人不讓你統一呢？」老人問，但他也驚奇，趙政這麼快就得出如此簡單的答案。

「那我就打得他願意聽話！」趙政舉起拳頭說。

「那還是得打仗！」老人嘆口氣說：「別人不服你打他服，你不服別人，別人也會打你，一個人打不贏，大家聯合起來打你。這樣還是戰爭越打越多，就像現在一樣。」

「但聯合不是那麼簡單，我可以一個個來收拾。」趙政詭異的笑了。

老人卻沉默了，趙政的話似乎有點道理，但自古以來，天下分分合合，全是以戰爭開始，又以戰爭結束，周而復始，其中道理不會這樣簡單。也許有股大力量鎮壓住諸多小力量，乃是暫時維持統一與和平的唯一辦法。

趙政也沉默了，他在想有朝一日，擁有至高的權力時，一定要統一天下，讓戰爭永遠不再發生。

7

三年來，趙政和老人之間已形成一種師生加父子的感情。

正如趙悅所說的，老人提出的條件苛刻，似乎不近人情，但他教育趙政所用的方式，卻是太人性化和自由化了，一般的老師簡直不敢想像。

他從不勉強他做什麼，也不規定他背書，只是將事情和書放在他面前，讓他自己選擇如何做，什麼時候做。結果是再難的事情和再難讀的書，只有引發趙政更大的興趣，一點也不覺得苦。他向趙政提出的規定和問題，反而比趙政的要求和問題少。

這也許是他最取巧的的地方，他可以選擇學生。

在生活起居上，除了趙政能做的事他絕不幫忙以外，其餘他都照顧得無微不至，趙政自小就和父親分開，卻在他身上得到了父愛。有時候他們兩個都會分不清心上的感覺，他們到底是師生還是父子？

最使趙政終生留戀的，乃是他們晚飯後散步的那段時間。他跟在老人身邊，漫步在城牆上，看到牆邊破爛發臭的貧民窟，也望著遠處大戶人家的高樓亭榭，還有雄偉巍峨的王宮。

他們也遠眺城牆外面廣大的原野，在月光或星空之下，他們無所不談，無所不問，這又不像父子師生，卻像一對年齡懸殊的知心好友。

老人對他講一些天文、地理和歷史及物理的知識，深入淺出，全包裝在故事的外殼裡，讓他不知不覺中得到不少這方面的知識。

他們互相辨難，他學會絕不強詞奪理的辨難之道，老人在被他問得無話可答，或追擊得無路可走時，也只是哈哈一笑，不了了之。

他在此時無形中學習了推理的方法，也形成了一個終生奉行的觀念——在眞理面前，人人平等。這延伸出他日後以法治天下的行動。

三年的時間過得很快，期滿的那天，趙悅來了。

「假若你要問我能不能再留趙政三年，我的答覆是可以。」在兩人行過賓主之禮以後，老人就主動的說。

「恐怕趙政不可能再留下了。」趙悅嘆口氣說。

「爲什麼？他母親不願意？」老人有點著急的問，轉眼看看侍立在旁邊的趙政。

「我願意這樣追隨老爹一輩子！」趙政認眞的說。

「一輩子是不可能的，天下等著要你做的事太多，」老人也嘆了口氣：「但基礎教育剛完成，這樣半途而廢太可惜。」

「他母親的確是對老哥感激得不得了，這次還和我說起，自從趙政跟著老哥學習以後，每個月都看著他在變，無論是體格、學識和氣質，全都變得和以前大不相同，要是她自己來教養，他恐怕還是個不分韮麥的孩子。」

「那又爲什麼呢？」老人不解的問。

「有消息傳來，秦昭王駕薨，安國君繼位……」

他說到這裡，就爲老人的眼色所止住，老人轉臉向趙政說：「政兒，你帶小黃出去玩玩，我跟你外公將事情商量好以後，再找你回來。」

趙政遵命帶小黃出去，只聽到趙悅的半句話：

「安國君遲早……」

8

五十六年秋，秦昭王卒，太子安國君繼位，稱號爲莊王。繼位時已五十三歲，而且身體羸弱，一看就知會活不久長。

子楚正式立爲太子，一般大臣預測他很快就會登上王位，但大家都奇怪的是，太子並不急欲要滯留在趙國的夫人和世子回國。

其中道理只有呂不韋和子楚最清楚，但兩個人都不會告訴別人。呂不韋不敢表示任何要楚玉夫人回國的意見，而子楚太子則是加納姬妾，日夜努力，想生出一個自己的兒子來，結果是兒子未生出，身體卻弄壞了，明顯的虛弱不堪。在趙國方面，楚玉夫人、趙悅甚至是中隱老人都明白，爲什麼子楚遲遲不接他們回國，趙國的留難只是他的一項對外藉口，眞正原因他們都不方便說出來而已。

以女人的敏感直覺，她明白必須儘快採取行動，時間晚了，絕對會造成不可挽救的局面，但對這件事她又找不到人商量，因爲只要提到趙政立嗣的事，就會觸及到她內心的傷口。

但如今事已緊急，她不得不自己設法解決。

那天，她只帶著一名女婢，坐了一部單馬安車，直驅中隱老人家，連趙悅都沒通知。她有一個很好的藉口，三年來她都遵守約定，只讓趙政每個月回家三天，她從不到老人住處打擾，如今三年已滿，她應該去謝一下師。

老人對她的到來，似乎一點都不感到驚訝，而且早有了心理準備。他迎接她進屋，然後在趙政見過母親以後，將他打發出去，由他帶著小女婢去參觀附近環境。

他們先道了會家常，談了下趙政受教育的事，楚玉夫人表示謝意以後，她突然跪倒在老人面前，淚流滿面的說：

「先生救我！」

老人驚站起來，不便親扶，只得兩手作虛扶之狀，口中連連說道：

「夫人有話儘管說，不必行此大禮，折殺了老朽！」

「先生答應救我，楚玉才願起來。」楚玉夫人擺出女兒撒嬌的姿態。

「假若我沒猜錯的話，夫人一定是爲了趙政這孩子立嗣的事而來，」老人胸有成竹的微笑著說：「其實，這孩子的事，也許老朽操心的程度，不會下於夫人，請起來，才好從長計議。」

「遵先生命！」楚玉夫人回復原位：「楚玉爲此事日夜寢食難安，還望先生有以教我。」

「上次，趙悅賢弟到此，將目前情況說了個大概，說老實話，夫人爲此事寢食難安，老朽也是幾天未睡好了，一直在思考這個問題，現在已得到一個粗淺的看法，但在提出以前，希望夫人先說說妳的意見。」

楚玉夫人遲疑了很久，她想將和子楚之間的心結和盤提出，但無論如何總覺開不了口。最後她只得臉帶堅決，用誠懇的語氣說：

「楚玉一切聽先生的安排。」

「老朽也知道，夫人有很多話不便出口，那我們就作最壞的打算。」老人睜眼直視著楚玉夫人，目光如電。

「請先生不必避諱什麼，直言好了。」楚玉夫人囁嚅的說，頭不自覺的低了下來。

「我們假設子楚太子並不喜歡趙政……」老人話說到此，停下來觀察楚玉夫人的神色。她張口想辯解幾句，卻爲老人利刃似的目光震懾住，開不了口。

「要是夫人不反對這個假設……」

「不，楚玉不作如此想。」保護女人名節的直覺反應，逼使她不得不開口。

「那請夫人說出妳的看法，」老人目光中透露出些許厭惡，他在想：「女人就是這樣，明明知道這些人都知道實情，她還是要假裝正經。」

「先生，還是依你的意見，我們作最壞的打算。」她想到事到如今，也只有聽他的了。

「我假設太子並不喜歡趙政，依據有二，一是以秦趙兩國目前的狀況，只要太子一要求，趙國一定肯放夫人及趙政回國，但太子從未請求過。二是傳言太子廣納姬妾，目的是想多生孩子！」

「楚玉也聽到此類傳言，但認爲太子想多生孩子，只是爲了廣佈枝葉，這沒有什麼不對。」楚玉夫人忍不住強詞辯解。

「兩者分開來看，似乎沒什麼不對，兩者加在一起，卻大大的不對了，」老人看了楚玉夫人一眼，微笑著說：「現成的不爭取，虛無縹緲的，反而不遺餘力，聽說幾年來，他連個女兒都沒生，空有那多的姬妾！」

她臉紅語塞，不再說話。

「所以，夫人要採取行動，必須要快，而且是雙管齊下。」

「如何下法？」

「趙國方面由趙悅賢弟進行，要他利用關係，晉謁趙王，言明送趙政回國的好處。至於秦國方面……」老人沉吟。

「呂不韋在那邊，他可以向子楚或秦王稟告。」爲了表示自己的淸白，她硬起頭皮提呂不韋。

「他適當嗎？」老人語氣有點憤慨，他眞想一語道穿，但再一想，這大年紀了，還鬧什麼孩子氣！因此他出奇柔和的繼續說：「假若他能說早就說了，或者是早就生效了，不會等到現在。所以我們要假定他不肯說，或是說了無效。」

「那我們要找什麼人去呢？」先聽到老人口氣不對，她眞怕老人會直言道破她和呂不韋之間的祕密，看到他臉色反而緩和，她鬆了一口氣。

「想來想去實在想不到適當人選，看樣子還是只有我自己去了！」老人嘆了一口氣說。

「先生要如何做法，是否可先明示楚玉一二？」

「老朽幾十年來調教出的王侯將相無數，安國君昔日遊學趙國，也曾與老朽同遊，華陽夫人那時就在他身邊，所以可說是老朽舊識，我要見到他們，也許可以說幾句話。只是……」

老人又搖頭長嘆。

楚玉夫人先聽說老人和秦王及王后有如此深的淵源，而且願意親自出馬，但一聽到他說「只是」，再看他面有難色，不禁著急起來。此時忽然看見趙政和小女婢已經玩回來，趙政正在客廳門口張望，想看他們話說完了沒有。她靈機一動，將趙政喊進屋來，帶著他，母子雙雙跪倒在老人前面，她又雙目流淚泣道：

「先生對政兒三年的栽培，楚玉無限感激，但要是不能繼承大位，先生的教育苦心算是白費。何況現在他只完成三年基礎教育，希望先生也不要半途而廢，將他造就成一個賢能之君。」

「師父，趙政也願意終生聆聽您的教誨。」趙政才進來弄不清情況，還以為師父不願教他了。

「起來，起來，老朽教出這多王侯將相，就是和他最投機，預料他將來的成就會遠超過其他所有的人。這種英才我不教，那我是自己不要快樂了。我剛才說『只是』，乃是說，一旦老朽捲入這場政治漩渦，只怕終生都擺脫不掉了。昔日由名著天下的大顯，一下退居到隱於野的小隱，後來變成目前的中隱，一插手這件事，我必須管到底，不將趙政扶上王座，絕不能半途而廢，那我豈不是要將『中隱老人』的名號改成大隱隱於朝的『大隱老人』了！」

老人說完話，掀鬚哈哈大笑，聲如洪鐘震動屋瓦，看樣子他年輕時的豪氣又復發了。

聽他這樣一說，楚玉夫人破涕為笑，她帶著趙政再叩頭說：「願先生不要嫌棄這孩子愚蠢，終生加以教誨，異日要是得國，還望先生善導。」

9

趙國這邊由趙悅負責進行，中隱老人到秦國去遊說現今的秦王，也就是昔日曾做過他學生的安國君。

中隱老人臨行前告訴他，第一步是先打聽趙王對遣返趙政的反應，並給他三道錦囊，要他遇到事情不順利時，一道道的拆看。

趙悅首先找到一位宗室大臣，要他伺空在趙王面前進言，看看趙王說什麼。

這位宗室大臣有天奉命陪趙王飲讌，在趙王酒酣耳熱欣賞歌舞，興致極高的時候，他有意無意將話題引到秦國新王初立的事。他說：

「秦王新立，昔日在趙當質子的異人已正式成爲太子，聽說他的妻兒還待在趙國……」

他話還未說完，趙王已勃然變色，眼瞪著他說：

「這麼說，你是知道他妻兒的下落了?快派人將他們拘禁起來，一來好作寡人和秦國談判的籌碼，二來也好讓寡人一消心頭之恨，上次他使的李代桃僵之計，害得寡人貽笑國際!」

「臣也只是聽到謠傳罷了。」這位宗室大臣趕快聲明。

「好，就謠傳追蹤下去，速辦!」趙王下令。

「是，臣遵命！」宗室大臣只得如此敷衍。

趙悅得到這樣的答覆，明知趙王是在做戲，他早知道楚玉夫人母子是藏在他這裡，但又怕他假戲眞做，眞派人來抓，那就弄巧成拙，事情變得更糟了。

於是他打開老人給他的第一道錦囊，只見上面寫著：

「速派人造謠，子楚在齊曾生一子，現齊國正準備遣送返秦！」

第二天邯鄲就傳遍這個消息，很快就轉到趙王耳中，次日的早朝議事完畢，趙王特地將那位宗室大臣留下，問起這項謠傳。趙王懷疑的說：

「異人在齊爲質，早於在趙，照說這個孩子應該比趙政還大，怎麼從未聽說過？假若眞有其事的話，趙政就不再是奇貨可居了。你派人在市面去查，寡人另要人在齊國打聽。」

「是，臣遵命！」

宗室大臣當然第一個找到趙悅，問他子楚是否眞有個兒子留在齊國。趙悅表示不知道，宗室大臣告訴他，趙王除了派他查這件事外，還要透過在齊的間諜系統查這件事。

趙悅一聽，大感緊張，間諜系統參與調查，很快就會眞相大白，到時候趙王不用多聰明，也會明白是他在搗鬼。上次李代桃僵之計使他餘恨猶在，這次要是再老羞成怒，他趙悅和楚玉母子都會倒大楣。

他打開了第二道錦囊，只見上面寫著：

「速與齊騶商量。」

齊騶是齊國名士，和他與老人都是多年知交。他們在年輕時都是重義輕身的行俠仗義之人，所以有多次捨身互救的紀錄，談得上是生死之交。他一向住在齊國，就在中隱老人啓程赴秦前一天才抵達邯鄲。

他找到齊騶，將事情說明後，齊騶笑著說：

「這很簡單，這次我來邯鄲，趙王曾數次派人來找我，暗示我主動請見趙王，原因是怕他直接請我，我不去他會大失面子。嗯，他的確是個太要面子的人，不懂得禮賢下士的祕訣。因此，你只要託人在他面前諷示一下，說是我並不是不想主動請見他，而是怕提出以後他不召見，名士也是很怕失面子的，他一定會很快召見我。」

「你見了趙王要怎麼說呢？」趙悅問。

「情況千變萬化，遊說只要維持一個目標，說詞則是要依當時狀況，或動之以情，或說之以理，或誘之以利，或脅之以害，事前準備的，臨時恐怕用不上，交給我，我會相機行事。」

果然，趙王很快就召見齊騶。除了大宴群臣以彰他禮賢下士的美名外，更在南書房獨自留客，說是要向齊騶請教軍國大事。

他們縱談了一些天下大勢和趙秦之間的和與戰以後，趙王忍不住問了齊國異人兒子的事。他最後說：

「齊先生剛自齊國來，是否聽到這項謠傳？是否知道眞相，請先生告之。」

「彷彿聽到過，但事不關己，臣也未在意。」齊騶欲擒故縱的說。

「但這對趙國的關係可大了，先生何以教寡人？」

「其實，以臣看來，齊國是否有異人的兒子，重要性全在大王想如何利用趙政。」

「寡人想要秦國交還趙國割給秦國的五座城邑，」趙王說：「假若齊國有子這件事是假，那趙政就是秦太子的獨子，未來唯一的王位繼承人，利用價值就大些。假若異人眞的還有個兒子在齊，那麼比趙政大應立爲世子，而且楚玉夫人據傳不見喜於異人太子，那趙政立嗣的聲望更小，用來要脅暴秦還我五城的可能更少。寡人該如何做法，願先生有以教寡人。」

齊騶故意遲疑了很久，趙王有點不高興的催促說：

「先生莫非以寡人爲不可教！」

「臣怎麼敢？」齊騶裝得誠惶誠恐的樣子：「臣正在仔細思考。」

「先生想出什麼辦法否？」

「以臣的淺見，問題不在秦太子是否有其他兒子，因爲即使齊國沒有，他身邊姬妾那樣多，隨時都可以生一個，最要緊的是如何擴大趙政的利用價值而使趙國得利。」

「先生的高見？」趙王一聽到利，眼睛都亮了起來。

「趙政目前雖爲秦太子獨子，但和生母遠在趙國，不得與太子朝夕相親，景況之慘，比當年秦太子異人本身有過之無不及。而臣在邯鄲市井也聽過一些傳言，說大王明知道她們母子藏身之處而不加追究，她們的確是感激莫名，日夜都在思考，趙政有朝一日回秦國爲王，應如何報答。」

「這樣說來，楚玉夫人還是明理的，她不記上次寡人殺她家人趙升之仇？」趙王面露得色說：「寡人是不想逮捕她們而已，其實，她們母子的一舉一動，全都在寡人的監視之下。」

「大王英明睿智是天下都知道的。」齊騶順便爲他奉送一頂高帽子。

趙王沒有謙謝，表示當之無愧。

「但是智者千慮必有一失。」齊騶突然話鋒一轉。

「寡人失在何處？」趙王有點驚訝。

「以趙政換秦五城，只是短時間利益，而且秦未必理會。」

「那長期利益呢？」趙王逐步被引入圈套。

「大王明智，早就知道長期利益何在了！」齊騶微笑。

「當然寡人也考慮到送趙政回國，但是怕趙政母子怨恨寡人，送回國無益，反不如握在手中作爲換城的籌碼。經先生這一開導，寡人茅塞頓開，知道該怎麼做了。」

「兩馬甚至是多馬競馳，先到者爲勝，大王要爭取時效。」齊騶再臨門一腳：「只要能著先鞭，齊國是否有異人的兒子已無關緊要了。」

「聽說已有人返秦爲趙政遊說？」趙王試探的問。

「那大王是否考慮主動？先發制人，後發則受制於人！」齊騶不回答他的問題，反而倒問。

趙王陷入了沉思，良久，他擊案而起說：

「先生，假若秦國不重視趙政，送回國無益，反不如留在趙國，秦國多少有點顧忌。」

「假若趙政受重視呢？」

「只要秦國迎接使者一到邯鄲，寡人立刻放人。」

「臣以爲太遲了，應該是秦國使者一出發，大王就裝做不知而主動送趙政回國，與秦國使者半途而過，才顯得出人情！」齊騶知道，各國都有間諜派在對方，觀察監視，一有情報最快的傳遞方法是飛鴿傳書。

「先生高見，寡人謹受教。」

那夜，趙王和齊騶談了個通宵。

10

老人離趙赴秦為他去進行遊說，趙政只有回到家裡來住。過慣了簡單自然的生活，突然回到往昔的奢侈優裕的環境，反而像習慣了山林的小獸重返牢籠一樣，渴望他已享受過的自由。

尤其是老人無窮的智慧加上他童心的好奇，他像吸滿了智慧之汁的海綿一樣，別的同年齡孩子，甚至比他大幾歲的少年，和他比較起來，會顯得知識如此貧乏，生性如此愚蠢。

他的體格是經過老人精心調理和訓練過的，健壯高大，九歲的人看上去比十二、三歲還成熟。

他發覺和蓮兒一樣，在同伴中也處於一種尷尬地位。同年齡的孩子，心智和外形都和他極不相配，所以加以排斥他。於是他極力想打入看來外表相似、實際年齡比他大得多的少年群中，這些公子王孫，在智力身體發育方面也許延後，但在吃喝嫖賭、聲色犬馬方面卻早熟得很，對這個粗野不文的小子當然也不歡迎。

他們嫉妒他的家世，趙王突然對她們母子好了起來，常派使者送賞賜品，不時還邀楚玉夫人帶著趙政到後宮和王后歡敍。趙王常安慰楚玉夫人，只要秦國方面有所表示，即使是沒有表示，也會在適當時機送她們回國。這些公子王孫的家長當然會告誡子弟，趙政將來會做秦王，目前不能得罪他，但告誡越多，反彈越大，他們反而專找趙政的麻煩。

他們恨他！每逢家長們帶著子女在一起聚會，大人們問什麼比較深點的學術或常識問題，趙政侃侃回答，吸引住王后及其他貴婦的注意，而這些不學無術的公子王孫，則羞得無地自容。

趙國自國君、王后以下的宗室大臣和顯要，教訓兒子都會以趙政做榜樣，通常都是這樣的兩種話：

「趙政才九歲，你都十五、六了，相比之下你應該慚愧。」

或是：

「不愧是上國世子，果然與眾不同！但你不也是上國公子嗎？爲什麼這樣不爭氣，眞是氣死我了！」

這種情形下，不讓這些公子王孫恨他也難。

於是他們合夥想出整他的辦法——

有時候他們假裝誠意的請他，卻是帶他到行歡場所，叫些歌女舞伎飲酒作樂，讓他走也不是，留下來更感難過。他們還唆使那些女人故意逗弄他調戲他，而他們則在一旁出言諷刺，突顯他們深懂風月，他只是個什麼都不懂的頑童。

有時候，他們也邀請他到家中，搬出一些金玉古玩，他們細說這些東西的源流，頭頭是道，問起趙政來，他卻一竅不通。還有那些名貴種的犬馬，趙政雖然騎術不比他們任何人差，但這方面的知識卻是欠缺的。老人說過，射、騎、御和劍術要講求殺敵和實用，不是去研究馬的品種、弓的好壞和車子、劍本身的精緻與考據，那是馬伕和工匠的事。

但現在卻成爲他受窘的主因。

後來，趙政不上當了，他拒絕他們的邀請。可是他們作弄他上了癮，找他不來，就在路上攔住他羞辱，一個人打不贏他，就眾人一起打。

最嚴重的是，他們不知從哪得來的消息，他們當眾罵他是野種，夠什麼資格自稱秦國公子！

他躲他們，他們卻像群狗追獵物一樣，千方百計找到他，再加以戲弄或毆打。

這些事他從未向楚玉夫人提過，老人訓練出他獨立的性格，也常教他要忍耐，他最記得他的一番話：

「孩子，天才和偉大的人都是孤獨寂寞的，無論得意不得意，他都會受一般人的排斥。

你看到鶴立雞群遭群雞啄擊的樣子嗎？你想得出龍游在淺水遭蝦戲的慘狀嗎？不要奇怪，這是正常現象，因爲他們不同類。但一旦白鶴飛起，聲唳九天的時候，雞仍然是爬行在地上一粒粒的覓食。當龍飛於天，使得風雲變色、江海翻騰的時候，魚蝦又到哪裡去了呢？根本看不到牠們的存在了！」

他必須忍耐，雖然忍耐的日子並不好過，尤其是在家中，他沒有一個可傾吐苦悶的人，長大了，趙高也離他疏遠了，這個同年同月同日同時生的奴僕，見面只會垂手喊公子。

好幾次他忍不住要向母親訴苦，但在無人處找到她時，她總是緊皺雙眉，有時還是在流淚。

老人在臨行前當著楚玉夫人的面握著他的手交代：

「孩子，不管你是幾歲，你都是男子漢，對不對？」

「當然我是男子漢！」他挺挺胸說。

「那好好照顧你的母親。」老人認眞的說。

「我會的！」他誠懇的回答，但他偷眼看母親時，母親在流淚，雖然臉上帶著勉強的微笑。

他絕不能再爲母親增加煩惱，她本身的煩惱就已夠多了。

受到欺侮戲弄以後，他唯一發洩怨憤的辦法，乃是跑到老人常帶他去的城牆上，對著城牆下面的廣大原野吶喊：

「有朝一日我會殺光你們！」

但有時候他也會哭著喊叫：

「爹爹，爲什麼你還不回來！」

11

的確，楚玉夫人的煩惱是夠多的，不但多而且複雜。

首先，她遭到和兒子同樣的煩惱。因爲王后厚待她的關係，所有同階級的貴婦在表面上都逢迎她，稱讚她，實際上卻輕視她的出身。由於嫉妒，她們暗中也排斥她中傷她，有時更旁敲側擊的諷刺她，有意讓一些流言(也都是事實)傳到她耳中。例如什麼八個月生子，兒子恐怕是呂不韋的；她只是個棄婦，丈夫將她丟在邯鄲，自己一去就是六年，不理不問，而且極力廣置姬妾，趙政想當秦王，恐怕不容易等等。

這些楚玉夫人還能忍受，因爲最多不參加她們的聚會，眼不見心不煩，落個耳根清靜。這些貴婦人總不能像她們的兒子對趙政一樣，騙她出去或半路攔截毆打戲弄。

最使她覺得難以忍受的是兩個男人對她的冷淡。他的丈夫子楚幾乎半年才會有一封家信，信上只有關於用度及問候的話，幾乎沒有提到過趙政。呂不韋更是沒來過隻字片語，她曾一度傾心過的男人，爲了自己的安全和避嫌，有意要疏遠她。

最使她煩惱的，卻是她無法解決又無法告人的情慾問題，自從她到趙莊以後，她就沒親近過男人。

現在她是三十歲的女人，最需要男人的年齡，尤其是她這樣情慾特強的女人。

那天她洗完澡，照著梳粧台上的銅鏡，驚覺到從不化粧就粉白細嫩的臉上，在眼角和耳下頸子邊，竟出現了細細的皺紋。

「天生麗質也經不起歲月的摧殘，女人總是會老的，只是有人老得快，有人老得慢些。」她回想到在呂不韋家當歌伎時的領班，一個三十五、六歲的女人，標準的美人胚子，只是頭上常出現幾絲白髮，以及眼角上的皺紋需要用脂粉掩蓋。當時她和幾個姊妹還常開她的玩笑，說是幾絲白髮更增她的風韻，而眼角的皺紋笑起來憑添幾許嫵媚。她們少不更事，半是玩笑，一半也是認眞說的，卻激起她上面的一番話和幾滴清淚。

三十五、六歲能保持那種樣已算是老得慢的了！但一晃她也是三十歲的人了，而且這九年女人最好的年華卻是虛度的。

當時她爲什麼要跟定呂不韋？呂不韋親近過的歌女舞伎，再嫁出去的很多，而且都有陪嫁，像嫁女兒一樣。有的是小商人，有的是工匠，也有些貧寒士子。有些靠著呂不韋的資助成了一方殷富，有的以他婢姑爺的身份，竟也青雲直上，成了大夫之流的達官顯宦。

她自己在出嫁給子楚的時候，更是眾人艷羨妒忌的對象，唯一的寵姬，只要生了男孩就會扶正爲夫人，然後是太子妃，王后，王太后，她是一下直升九天之上。

其實她現在痛恨自己，不該跟定呂不韋，更不該答應嫁給子楚，做什麼王后、王太后的夢，雖然這個夢離實現是越來越近。

她也不羨慕那些丈夫已成富貴人物的姊妹，在這方面她們就是比她好，也好不到哪裡！男人都是一樣的東西，年成好多收幾石麥子，就想到納妾，何況變成大富大貴的人！

她衷心羨慕的，反而是那些嫁給一般人認爲沒出息人的姊妹。無論是士農工商，一夫一妻，白首到老，雖然日子過得清貧些，但一個完整的丈夫加上幾個親生骨肉的子女，不比名義上有一個丈夫，大部份時間都睡在別個女人房裡，有一大堆子女，卻互相勾心鬥角，要來得強太多！

她看著銅鏡中自己的胴體，腰仍然纖細得僅夠盈握，乳房依舊堅挺結實，這也許是沒生太多孩子的好處。她輕輕撫摸自己沒褪色的鮮紅乳頭，全身起了一陣酥麻的感覺，她想起了撫琴的動作，她好久都未撫琴了，再美妙的琴藝，缺少知音，還有什麼好彈的呢！

她用輕挑慢撚的指法，雙手撫弄著乳尖，很快她全身顫抖，心跳加速，臉逐漸發燙。她忽然想起呂不韋臨行送她的一項禮物，她在梳粧台的抽屜裡找了出來。

那是一具軟玉製的雙頭男性器官，執著它，她又想起呂不韋的話：

「通往王后的道路是孤單寂寞的，到達以後，仍然是寂寞孤單的。也許像妳這個年齡，最難排遣的還是身體上這股強烈的需要。我送一套玩具給妳，自古后妃、宮人都是這樣打發後宮的空虛日子。」

當時她嬌嗔的罵呂不韋下流，順手就丟在梳粧台的抽屜裡，想不到經過兩次搬家，它仍然在。

她撫摸玩弄著這項玩具，雕刻琢磨的手工都是上乘，玲瓏精緻，唯妙唯肖，軟玉青翠欲滴，看得她慾念更爲高漲。她向門外高喊一聲：

「繡兒！」

「奴婢在！」

應聲進來的是剛及笄的湘繡，上個月剛捲起雲鬢秀髮，臉上猶然充滿稚氣。

「坐到這邊來。」她柔聲的說。

她平日對下人的態度正好和呂不韋相反，嚴厲不稍假辭色。突如其來的溫柔，使得湘繡誤會是大禍即將臨頭。

她兩腿顫抖，頭低著，一步步慢慢捱向梳粧台邊。

楚玉夫人一把將她摟在懷裡，臉貼上她的臉，一股清涼直沁心頭，但接著那把心頭之火卻燒得更旺。她解開她的酥胸，膩聲的說：

「看妳身材嬌小，眞想不到這裡發育得這麼好……」

12

中隱老人抵達咸陽，找到一家小客棧住下，依照趙悅的安排，藉由一名侍中將他抵達咸陽的消息傳到秦王耳中。剛登基的秦王，此時尚未除服改元，但聽到昔日的老師來臨，派了一部單馬安車，外加一名侍中來接。

侍中還特別向老人解釋，秦王本來要派自己的黃蓋御車以及虎賁軍護駕，但主上知道他的脾氣，不敢這樣做，怕他會不高興。

聽侍中這麼說，老人心安了一半，看情形秦王念舊，而且對他這個昔日老師還是恭敬得很，此行任務大概可以達成。

秦王下旨，中隱先生的安車可在宮內行走，直達咸陽宮。這是一種特別得不能再特別的殊例，宮中的老人事後都說，在他們的記憶中似乎沒有這種前例。

中隱老人在未退隱以前，遊遍了各國的宮殿，就是秦宮尚未來過。首次來遊，和印象中的各國王宮相比，秦宮顯示出它簡樸實用的特色，沒有太多的裝飾，過道迴廊寬窄長短都恰到好處，設計上不誇張，不浪費一點空間，但看來仍然巍峨精緻。

宮內禁衛很少，來回走動的人更少，不像其他王宮那樣熱鬧，卻顯得氣象森嚴。這表示秦宮內宮各有職守，不失職，也不僭越，因此也就沒有無事忙的冗員。

老人不禁想起一個有關秦宮管理體制的傳說。某一代秦王因批奏摺批累，就在書案上睡著了，一名管冠帽的內侍怕他著涼，順手拿了一件外袍爲他蓋上。他醒了以後，非常感動，但後來查出是管冠帽的內侍所爲，郎中令議定：管袍帶的內侍失職，杖責三十；管帽冠的這名好心內侍卻是僭越職權，按律當斬。秦王雖然於心不忍，但還是批准按律令處置。

老人再看這些持戟的衛兵和帶劍的郎中，每個人都有自己的監視範圍或巡查區域，絕不會左張右望亂看一眼。衛兵所分佈的位置，更是按照陣法排列，平時監視，沒有一點看不到的死角，一旦有事，互相支援，絕不會失誤，也不會混亂。

中隱老人暗地不斷點頭，雖怪秦軍以偏遠一國之地，獨敵整個中原各國。秦軍進攻，如猛虎臨群羊，所向披靡，而退兵時卻是井然有序，依然保持隨時可轉移爲攻勢的旺盛士氣，使得敵人通常不敢行大膽追擊。

中原多名將，但一遇到秦軍就施展不開，原因是秦軍發揮的整體戰力，整個軍隊就像鐵鑄成的一樣。而各國軍隊卻像盤散沙，平時操演還像回事，一遇眞正硬仗，便四處逃散，潰不成軍。

老人想，天下合久必分，分久必合，姜尙遇文王時已八十歲，雖然他還不到這個年齡，但也七十多了，想輔佐趙政成就王業，統一天下，恐怕是時不我予了！

但他隨即搖頭自責，隱居近四十年，怎麼今天又動了凡心，可見拋卻富貴容易，想根絕「有所爲」的欲念卻太難。不是麼？他已不知不覺中捲入這場政治漩渦，能說他自己沒有一點主動？

13

安車在起居殿門前停下，秦王已率領百官在階下迎接。下車後，秦王堅持要行師徒之禮，老人微笑著說：「三十年不見，公子仍然如此多禮，你要行師徒之禮，擺明等下要我行君臣之禮，我看還是兩免了罷。」

秦王連忙說道：

「嬴柱怎麼敢？一日爲師，終身爲師，君臣二字恐怕還用不到老師的頭上。」

一再謙讓最後還是以賓主之禮，分從東西階而上。

因爲是國喪時間，秦王猶未除服，晚宴不用酒，秦王爲老人作了簡單介紹，與宴群臣以歡呼表達對主上及老人的敬意。

秦王知道老人的脾氣，不慣應酬，他擺如此大的場面，只是想在老師前面炫耀一番而已。說也可憐，他父親秦昭王縱橫天下，擴張秦國版圖，可說是日夜辛勞，但偏偏壽長，十九歲登基活到七十五歲，整整做了五十六年的國君。輪到他繼位，已經是五十三歲的高齡，想要有他父親那樣大的成就，就得積極行事。

因此他抱有文王遇姜尚之想，想以弟子之禮感動中隱老人出山，幫他做一番事業，就是不能在有生之年統一天下，至少亦不能愧對父親。

因此晚宴很快結束，群臣退去。秦王摒除左右，親自將老人引入御書房，堅持行了師生之禮。這次老人沒有拒絕，見禮畢，老人上座，秦王在一邊陪坐，談了些往日趣事後，秦王明白老人來意，領先將話納入正題。他說：

「老師對嬴柱家可說是恩德深厚，三十年前教誨弟子，今天又要爲弟子的孫子操心。」

「趙政是可造之材，依臣的看法，他異日成就恐怕還在秦孝公之上，」老人微笑著說：「孟軻曾說，得天下英才而教之，一樂也。臣這輩子享受這方面的樂趣不少，可是從未有過這三年和趙政相處的這大樂趣。」

秦王懂得老人的意思，他拿趙政和秦孝公相比，這是一種大得不能再大的讚譽。秦國原是處於西方偏僻地區的一個小國，中原諸國都以夷狄野人看待，從來會盟締約的大事，都不屑邀秦國參加。

孝公於是行惠政，恤孤寡，招戰士，明功賞，勵精圖治。後來經過商鞅的輔佐，再變法修刑，採取重農政策，鼓勵男耕女織，外則厲兵秣馬，加重戰功的獎賞和戰死者的撫恤，使得人人以為國戰死為榮，因此達到足食足兵的地步，國力大強。

此後才逐漸向外擴張，參與中原會盟等外交活動。十二年，並建首都咸陽，立定大國規模，廢井田，開阡陌，建立戶口及犯法連坐制度。

秦孝公在基本上可算是現代秦國的開創者，後來幾世秦王的開疆闢地，日益富強，都可說是建立在這個基礎上的。

中隱老人說他異日比孝公的成就還大，豈不是說他會統一天下？這個孫子他從未見過，但他相信老人的眼光，於是他先就有了急欲看看趙政的念頭。

「老師這次來秦，是想長留，還是作短暫遊？」他想試一下老人的口氣。

「那要看大王的意思了。」老人在心中想，秦王既然待他如此恭敬誠懇，再拖延委婉，只是在浪費時間。

「老師的話作何解釋？」秦王笑著說。

「趙政三年來只完成了基礎教育，養成教育亟待開始，假若大王有意讓趙政回來，老臣當然會跟趙政在秦國定居，假若趙政不能回來，老臣亦只有很快就回邯鄲去了。」

「哦，老師對趙政眞是錯愛了！明天我將這件事和子楚商量一下，秦國不要質子交換最好，假若要的話，朕想再換一個，橫豎朕的兒子孫子很多。」說完話，他自己先哈哈大笑起來。

這件事總算圓滿結束。秦王忽然目不轉睛的注視著老人，臉露欽羡的神色說：

「老師今年應該有七十歲了吧？」

「七十六了，」老人嘆嘆氣說：「離姜尙遇文王的年齡還有四歲。」

「老師不是已經遇到文王了嗎？」秦王笑著說：「只是老師不願做姜尙罷了。」

老人微笑不語。過一會秦王又說：

「老師七十六歲，仍然是容光煥發，兩眼炯炯有神，朕才五十三歲，卻已形容枯槁，常有頭昏眼花、體力不繼的感覺。」

其實，老人一坐下來以後，就注意到秦王臉色發黃，連眼白都帶黃色，依他深通醫術的判斷，這是長期酗酒已經傷到肝臟的象徵。雖然不知道他肝病的嚴重程度，但以他說話無力、聲音顫抖的現象來看，不好好調養，恐怕是來日無多了。他不好明言，只有婉諫，他微笑著說：

「老臣粗鄙之人怎能和大王比！老臣四十歲戒酒，三十多年來滴酒不沾，起居作息按時，再加上有節制的運動練身，六十歲以後不再近女色，以深研學術來排遣綺念，這些大概與老臣身體頑健有關係。」

「你的話也許是對的，先王平生不喜飲酒，也不太好女色，時間都花在軍國大計和征伐上，所以臨去世前身體還算好，他是死於中風。」秦王嘆嘆氣說：「朕是年幼時成長於婦人女子之手，為太子後又無所事事這樣久，因此無婦人就不知道如何生活，不飲酒就不知如何排遣長夜，不過在朕繼位以後，這些都在慢慢的改。」

「大王只要多加調養，身體自然而然會好起來的。」

「老師是否能教朕一些攝生之道？」秦王急切的問。

「一切順其自然就好，凡事知足，適可而止。」

「道理就這樣簡單？」秦王有點失望。

「宇宙之事本就簡單，是人自己弄複雜了。」老人微笑著說。

「朕仍是不明白，請老師稍加解釋。」秦王臉上充滿困惑。

「就拿飲食男女這兩件最基本的事來說吧！飢思食，渴思飲，七日不食則死，三十日不飲則死。飢與渴是上天維持生命的警鐘，該食時不食，就會餓，該飲時不飲就會渴。而食足就會飽，不再思食，雖山珍海味擺列，亦食不下嚥，這是上天為人所定下的限度。一般飛禽走獸按照上天法則飲食，因此由飲食所引起的疾病甚少，個個身強體壯。而人食不厭精，不餓亦食，食不定量，或是人為因素，餓亦不食，食不按時，因此人的疾病，十之八九是由飲食上來。」

「老師說來眞是非常簡單，只是一般人都難做到。」秦王若有所感。

「還有酒，」老人心想乘機向他來段機會教育：「本非自然產品，對人身心有害。昔日大禹女兒製酒，大禹飲之，樂而忘憂，睡而忘醒，次日推酒而起，感嘆的說今後會有因酒而亡國者，從此滴酒不沾。酒本來只能讓那些貧困的人去喝，讓他們暫時忘掉現實的痛苦。君王日理萬機，轉念之間都會影響到千萬人的身家性命，必須保持頭腦清醒冷靜，酗酒傷身誤事不只是有關個人。」

「嬴柱謹受教，」秦王起坐長跪：「但朕一餐不飲酒，就會感覺心神無主，手腳無力，行走蹣跚，兩手發抖，這是什麼緣故？」

「這在醫學上謂之酒中毒，乃長期酗酒所致，」老人正色說：「熱酒傷肝，冷酒傷肺，酒對人體的肝肺傷害最大！」

「可是沒酒卻會傷朕的心啊！」秦王哈哈大笑：「只有慢慢的戒。」

老人先是一楞，接著也跟著笑起來。

14

「朕想再請教男女之事。」秦王談到男女，變得更聚精會神。

「上天要男女雌雄交合，乃是爲了延續人和有生萬物的生命，有性慾，逼使人和有生萬物千方百計自動尋求交配。而男女交合爲人間最快樂的事，也許是上天爲人生育子女的辛苦所付的一份工錢吧！只拿工錢不願做事的人會受到責罰，而一心貪圖男女享樂，卻不願負延續生命的人也會遭到天譴。」

「嬴柱願聞其詳，請老師解釋清楚點。」

「譬如說，天生男女大致各半，也就是要人間男女一配一的生兒育女。當人多娶一女，民間必定多一鰥夫，影響人口繁殖及社會安寧，富人縱慾則傷身。性慾有如食慾，一對一的男女性慾，滿足即會停止。以一男對眾女，則如見美食，不餓亦會食指大動，結果會造成縱慾而傷身折壽。」

「老師這些話朕不太贊成，一隻公雞對多隻母雞，仍然雄健，而閹雞卻只是痴肥毫無精神。」

「天生母雞多於雄雞，這就是自然法則，閹雞乃是人爲，違反自然。」老人從容解釋。

「那黃帝之事又怎麼說呢？」秦王不服氣的說：「相傳黃帝夜御百女，最後白日昇仙。」

「大王想學黃帝嗎？」老人說：「大王一定讀過所謂的《素女經》。」

「……」秦王不承認也不否認。

「老臣曾研習過，甚至試驗過，發覺裡面講男女交合之道，有的有點道理，陰陽調和本來對人體有益，性慾無法解決，就會使人性情暴躁，覺得生活失去樂趣，這可以由某些野獸在發情期特別凶猛得到證明。但說到採陰補陽房中之術，靠此可以保容顏、延青春、補腦健身、防治百病，這根本是無稽之談，這可以由……」老人本來想說由秦王本身就可以得到證明，怕太刺激他而改口說：「由很多人的例子都可以得到證明。」

秦王在當公子時，廣置姬妾，研習黃帝採補之術，年輕時尚可夜御兩、三女，自謂得到黃帝採補術的精髓，更加努力實踐。但隨著年齡的增長，夜御一女即已不能征服，於是靠酒力，仗藥物，勉強支持，最後是看到美女都感力不從心，修煉的成果是一身的病痛和眾多的子女。

他聽老人說的話，當然懂得「很多人」就是指他自己，他嘆口氣說：

「黃帝白日升天，不知是眞是假？長生不死是朕的願望，亦是每個人的願望！」

「黃帝勤政愛民，終年在外征討頑凶，爲民除害，和蚩尤及其他夷狄糾纏作戰數十年，是否有時間和心情夜御百女，聰明人一想便知。至於白日升仙，有幾個人是親眼看到仙人的？」

「長生不死，眾人都這樣說，多少會有事實。」秦王眼看著老人說：「就以老師來說，年高七十六歲，雖然是鬚髮皆白，但臉色紅潤，一點不顯老態，說不定就是有長生祕方，只是以嬴杜愚蠢不肯傳授而已。」

聽到秦王這番半眞半玩笑的話，老人長嘆了一聲說：

「不說是老臣沒有長生祕方，就是有，老臣也不願逆天行事而爲。」

「爲什麼？」秦王這次是眞的感到驚奇了，天下還有不願長生不死的人！

「以老臣之見，人的生老病死乃自然法則，正如萬物的生生死死，這樣才能保持天地不老，萬古如新。假若人老了不死，眼見都是老人，臣眞不敢想像是何等景象。有生必有死，有死才顯得人生短暫，應及時做事或行樂，要是人不會死的話，生命也就沒有意義了，正如沒有夜晚，白晝也沒有意義一樣。」

「老師的話太過深奧，朕只知道，朕如不死，就可長享秦國，也許永遠擁有天下！」

「要是先王不死，大王也繼承不了王位；要是舜王不死，尊祖大費不死，目前可能仍是大舜為帝，而大費仍然在為他調訓鳥獸，哪有秦國，哪有大王？」

秦王似乎有所領悟，沉默很久。半晌才擠出一句話來說：

「朕不能長生不死，難道說也不能讓天下統一，子孫萬世為王？」

「這點臣不敢妄言，」老人在心裡想，人為什麼都是如此痴頑，總想取別人而代之，卻認為自己可以永遠擁有？他口中卻說：「不過鑒古可以知今，人有生老病死，國也有興強衰滅，有史的兩千多年來，堯舜直到目前的東周，換了多少朝代，只是有長有短，正如人之有壽有夭而已。」

「朕明白了！」秦王不再談這方面的話題。

他們又談到其他很多話題，老人學識之淵博，秦王是早就知道的，這一夕話卻使他覺得非留下他輔助不可。

經過秦王一再的暗示和明求，雙方達成協議，老人以太子師的身份住進太子宮中，負責教導太子和趙政，但沒有任何官職，也不受任何管轄。

太子子楚因事不在咸陽，回來後再會同王后以家宴方式宴請老人。即日派出使者向趙國要求遣返太子妃楚玉夫人母子回國，趙國如請求，雙方再互派質子。

中隱老人算是達成初步目標，下一步就是要說服子楚，讓他承認趙政是他嗣子，並早日正式冊立。

第5章

兄弟情深

1

在中隱老人抵達咸陽的同一天，子楚太子和呂不韋正在府中議事。雖然安國君繼位爲秦王，正式冊封子楚爲太子，但秦王公子眾多，太子可立當然還可廢，有些人還是不死心的在爭取。尤其是子傒公子憑恃生母得寵，唆使母親日夜在秦王面前撒嬌哭鬧，說盡子楚的壞話，一方面結交宗室大臣，找機會在秦王面前極力鼓吹子傒賢能，同時再效法子楚故技，廣招門客，由這些人將他的賢名由國外再傳進秦王的耳中。

子楚去國日久，國內沒有黨羽，全靠呂不韋周旋於華陽王后和客卿大臣之中，爲他建立了護衛太子名份的防線，不過保衛戰打得很吃力。主要是不知爲什麼，秦王一見子楚生母夏夫人就有氣，連帶也討厭子楚這個太子，不時透露口風，有改立太子的意思。

呂不韋雖然和子楚雙雙各懷鬼胎，但目前利害相同，不得不同心協力一致對外。

呂不韋打的主意是：他的所作所爲，全都是爲親生骨肉鋪路，讓他開創萬世基業，眼前任何辛苦勞累，他都忍了，子楚偶爾擺擺臉色，他都裝作看不見。

他除了積極在朝中拉攏關係外，另方面也在建立他的商業王國。秦人重法尚武，講求的是男耕女織，全國人民豐衣足食，夜不閉戶，道不拾遺，山無盜賊，怯於私鬥而勇於公戰，平日視打鬥殺人爲羞恥，上戰場時卻能奮勇爭先。但商業人才甚少，空擁有巴蜀的豐富礦產及木材資源，除了公家徵用以外，沒有完全開發，更談不上輸出國外換取財富和國內所需的物品了。

呂不韋注意到這一點，他大事收買巴蜀和秦地的礦產山林，以招收門客和蓄養僮僕的名義，廣爲招攬和訓練商業及工業人才，最盛時這些所謂僮僕人數超過一萬。

他的目標是一旦他的兒子登基，秦國除了足食足兵，有天下最精良善戰的軍隊外，還有取之不盡、用之不竭的財富和物資，以作爲統一天下的本錢。

子楚在心裡所想的計劃是：現在儘量利用你的才能和財富，等我一坐上王位——看父王身體狀況，這不會太久了——情勢穩固以後，你聽話，就再利用下去，不聽話，一腳踢掉，連你從趙國及各地帶來的老本都沒收掉。至於趙政，只要我另外生了一個兒子，他就沒有立太子的份，即使立了，說廢也隨時可廢。

所以呂不韋如今努力建立的無論是經濟或政治勢力，將來都會爲他所有。

他明白，呂不韋所做的一切並不是爲他，而是爲自己的兒子。但呂不韋到底是外國人，他在秦國建立的任何勢力，就如同小孩子建在沙灘上的沙石城堡，看起來像模像樣，卻經不起他踢一腳，只要他能登上王位。

當天，他們正在討論子傒發動的最近一波攻勢時，忽然一名侍中來報，咸陽城尉帶著長安縣尉來見，說是有緊急要事。

「要他們回去，城尉和長安縣尉有什麼事值得見孤，你沒看到孤正在和呂先生議事？」子楚不耐煩的說。

侍中附著耳邊向子楚細語幾句，只見子楚臉色大變，轉向呂不韋說：

「呂先生，我們改日再談，我有點急事要處理，也許要到長安去一趟，過幾天才會回來。」

呂不韋看看他，想問他什麼事卻又不敢，因爲他知道，假若能告訴他的話，早就告訴他了。

2

子楚換上便服，坐著一輛單馬安車來到長安城。長安縣尉騎馬相隨，他是個相貌平凡，面白卻未留鬚的中年人，和一般秦國的執法人員一樣，沉默嚴肅，對子楚這位太子雖然恭敬，但有意見卻相當堅持。秦國執法人員緊守著一項信條：「王子犯法，與庶民同罪。」

子楚單馬小車，不帶隨從，也是他的建議，他告訴子楚說：

「此事不可張揚！」

入夜，子楚在長安城內一家小客棧停車，長安縣尉找來店主帶路，這個佝僂著背的老人，看樣子並不知道子楚的身份，他只顧對著縣尉嘀咕：

「大人，小人開店幾十年，還未遇見過女客在店中自殺的事。她昨天投店，用的是齊國通行證。登記時說是要到咸陽投親，神情雖然有點不對，但沒想到……」

「但沒想到她會在半夜裡上吊，是不是？你這番話對我說幾遍啦？我全會背了！」縣尉制止他再說下去。

子楚走在最後，一語不發。縣尉剛才只告訴他，一個三十歲左右的婦人，面目姣好，皮膚皙嫩，可以確定是大家出身，不像一般操勞家事的小家婦女。她自殺身死後，留下一個十歲左右的男孩，另外有一封遺書，說是要由男孩親自向子楚面告一切。

縣尉說，他本想帶男孩到咸陽去謁見的，但一再問男孩和他的母親跟太子有什麼關係，男孩一口咬定要見太子當面說，他弄不清底細，又怕不是好事，洩漏出去對太子有所不利，只有找到咸陽城尉代爲求見，希望讓太子自己來處理。同時他已做好一切封鎖消息的措施，長安城內，除了店主以外，不再有人知道這件事。

子楚向他致謝，心中卻一直在納悶，三十歲左右的女人，帶著一個十歲大小的男孩，這會是誰？他細數在齊國親近過的女人，要是有人懷孕，應該早找上他了，不會等到現在。

再不然就是和他有過關係的女人，嫁人生子，跟丈夫不和來找他，但怎麼會千里迢迢來找他，還帶著別人的兒子？他這半生親近過的女人太多了，就是生不出一個兒子，要是帶來的是他的兒子，那眞是件大喜事！但到底是誰呢？最後他想得頭都痛了，乾脆不去想它。

年老佝僂的店主提著燈籠在前面帶路，影子在地上拉得長長的。時序已進入深秋，這家古老客棧的重重院子都種著梧桐，枯葉滿地，隨著秋風翻騰打滾，發出惱人的沙沙聲。

「爲什麼讓她住在這麼後面？」一直沉默的子楚忍不住問，他的意思是假若在前院和眾多客人同住，有所動靜會被人及時發現。

「大人，她是個婦道人家，又帶著小孩，小老兒的意思，讓她住在後進，清靜也比較方便。」

店主推開房門，在黯淡的油燈光下，子楚看到床上直挺挺的躺著一具女屍，一個孩子跪在床前啜泣著。聽到開門聲，孩子回過頭來觀看，整個臉展示在燈光下。

一見到這張臉，子楚心頭感到一震！五官長相及臉上超乎年齡的憂鬱表情，活生生的就是另一個自己。

「不錯，這是我的兒子，親生的兒子！但這個女人又會是誰？」

子楚走到床前，長安縣尉爲他掌燈，店主人識相的退出門外，在臨帶上門時，他還說了一句：

「大人，小老兒在外面櫃台等著，有什麼指示再吩咐。」

床上的女人穿戴整齊，臉上還化好了盛粧，要不是籠罩著那股死人特有的冰涼陰森之氣，一看之下，還是個海棠春睡的睡美人。看來，她對死已早有周詳準備，而不是一時的衝動。

她的頸上還清楚的留著自縊的繩索痕跡，舌尖微吐，眼睛卻是睜得大大的，一副死不瞑目的樣子。

「啊，是妳！」看清了女屍的臉以後，子楚忍不住大聲喊出來。

「公子，卑職到櫃台上問店主幾句話，有事請傳喚。」長安縣尉也知趣的退出門外。

3

自他們一進房以後，這孩子就停止了啜泣，只是長跪在床前，一聲不作。

等店主和縣尉退出以後，他突的轉過臉來直視著子楚，兩隻大而俊秀的眼睛裡閃著淚光，也流露一種教人看了心碎的哀怨神情。這是股他熟悉的眼神，在這個孩子母親的眼中常見到。就是這種眼神，使他對她有特多的憐愛，再大的怒火也會被它澆熄，再多的怨恨也會被它溶化於無形。

他們就這樣對視了很大一會，似乎都明白對方是什麼人，但都不願領先承認或是詢問。最後還是子楚先問：

「你知道我是什麼人？」

「秦國太子子楚，我的父親。」小孩平靜的回答。

子楚意想不到這孩子回答得這樣直率冷靜，他又追問一句：

「你怎麼一眼就認出，不怕認錯人？再說太子出來，會這樣簡便，連隨從都不帶嗎？」

孩子困惑的看了他一會，似乎對他後半段的話有點聽不懂，但接著他堅決的說：

「你是不是秦國太子，我不清楚，不過，我知道你是我父親。」

「爲什麼？」子楚掩蓋不住驚訝。

「因爲娘說，我長得像你，你特有的表記就是兩道眉毛中間有顆豆大的朱砂痣。」孩子注視著子楚的眉心，肯定的說。

「你娘給你什麼相認的信物？」

孩子從頸上取下一塊玉珮交到他手中。他認得這塊玉珮，那是他和齊姬定情初夜的紀念物。

信物猶在，人已香消玉殞，而且死得這樣慘，一陣酸楚由心底升起。

「還有這個。」孩子另外又從懷裡取出一張絹帕，只見上面用血寫著孩子的生辰八字，還有四句絕命詩——

無顏見君，
近君情怯；
妾不足惜，
願憐餘孽！
——齊姬絕筆

子楚再也強捺不住那股酸楚，它往上衝，化成眼淚，迷濛了雙眼。

「你是我爹？」孩子仍然面無表情的問。

「當然是，孩子，」他將孩子擁在懷裡，淚像泉水一樣湧了出來：「當然是，我的兒子！」

孩子緊緊靠在他的懷裡，淚沾濕了他的衣襟，他的眼淚同時也滴濕了孩子的頭髮。

「來，讓我們拜拜娘。」子楚拉著孩子在床前跪下。他輕闔著齊姬的眼皮祝禱：

「齊姬，齊姬，安心的去吧，我會善待我們的兒子！」

孩子又輕聲啜泣起來。油燈結上燈花，火焰撲撲的忽亮忽滅，屋中陰森之氣更為加重。說也奇怪，齊姬的眼睛真的就此合上，臉上也隨之出現了似乎是安詳的表情。子楚伏在她僵硬冰冷的身上，陷入往事的回憶裡。

——為什麼男女在一起的時候，總是將過錯推到對方身上？

他責怪她不甘寂寞和貧窮，以致要下堂求去，但他可曾想過，秦趙數番爭戰，敵意極深，到趙國當質子等於去隨時等死，所有的賓客和女人都不聲不響的離去，只有她丟棄土生土長的敵國家鄉，隨著他去命運不可卜的邯鄲。

他責備她無情無義，在他最艱難最失意的時候，說走就狠心走了，但他可曾自我檢討過，他對她是種什麼態度？他日夜給她臉色看，動不動就對她大吼大叫，不高興的時候，當著婢女僕人面前要她滾，滾得越遠越好；在他心情好的時候，或是被她眼神中那股哀怨所溶化時，他也會將她抱在懷裡，或是跪在她面前，乞求她的原諒。但過沒多久，他依舊又是故態復萌，這樣周而復始，再堅強的人也會崩潰，何況是個離鄉背井，只有他是她唯一依靠的弱女子？

她為了讓他安寧而求去，這能怪她嗎？

——為什麼男女總是在生離死別以後，才想到對方的好，才開始明白，很多錯誤都是自己一手造成？

——爲什麼總是在破鏡難圓以後，才回憶以前在一起生活的美妙和溫馨？

伏在她僵冷毫無知覺的屍體上，他想到過去一些甜美的良辰美景——

初見時的驚爲天人；

她定情初夜的嬌態；

月夜泛舟，向著流星許願，願生生世世爲夫妻；

她在落花前感傷流淚，嘆息女人年華易逝時，他所給她的承諾；

登泰山觀日出，他雄心萬丈的許諾，有朝一日他登王位，她就是母儀全國的王后；

還有……還有很多的往昔趣事，像浪潮似的，一波接一波的湧入他的回憶。

他不知這樣跪伏了多久，孩子早已停止了啜泣，將溫溫的小手伸進他的手中，一股溫暖隨之瀰漫了他全身。

並不是一切都消失了，她也不是就此完全物化，她還留下一個他們共同擁有的生命——他們的兒子！他的親生骨肉！妾不足惜，願憐餘孽！他要爲這個孩子安排最佳前途。

他驚醒的跳了起來，溫柔的對他說：

「孩子，你會喊剛才那兩個人進來嗎？」

「當然會，」孩子驕傲的說：「跑腿的事，總是我幫娘做的。」

「爹只要你幫忙跑這一次腿，以後跑腿的事，再不會輪到你做了，」他摸摸孩子的頭：「你叫什麼名字？」

「念秦，齊念秦，娘說我是在齊國生的，所以姓齊，說爹在秦國，要我不要忘記爹，所以名字叫念秦。」

「這個名字現在不適合用了，爹就在你身邊，不用再念了，」他沉吟了一下：「你要姓嬴，我們祖先的姓，名字叫成蟜，就是你要長大成龍！知道嗎？」

「我知道，成蟜就是成龍的意思。」孩子似懂非懂的說。

「成蟜，去幫我喊剛才那兩個人進來。」

「是，爹！」

孩子興奮的跑出門外。

4

單馬獨車急速的走在長安至咸陽的泥土道上，揚起一陣陣的灰塵，像夜霜一樣附落在道旁光禿的古樹上。

一鉤下弦殘月掛在天邊，使得深秋的深夜，顯得格外淒涼。

子楚帶著孩子趕路，他想儘快回到咸陽，要安排這孩子的前途，他還有很多事要做。在搖晃顛簸的車廂裡，成蟜緊緊的依偎著他，他將他抱得更緊，這和抱著嬴政時的厭惡，眞是成了強烈的對比，他心中充滿了憐愛，也有更多的愧疚。

孩子只跟他相處沒多久，就變得快樂活潑起來，似乎忘了剛喪母的悲痛。上車以後，一直在絮絮不停說著他和母親生活在齊國的事。

母親帶著他住在外婆家，外婆家住在山腳下，有瀑布、山溪，還有小河，外婆織布，母親幫她浣紗。每天總是帶著他到河邊，她和很多阿姨阿婆在流動的河水中浣紗，他就和一些孩子在河邊玩水、摸魚捉蝦、打水仗。晚上，母親一面幫著外婆織布，一面就在燈下教他讀書。

他說到有次他滑足河裡，母親哭喊著連衣帶鞋的跳下水來，緊抓住他的袍領，可是她不會游泳，河邊那些阿姨也不會游泳，只會在岸上鼓噪，還有的忙著回去找男人，他已經喝了好幾口水，好在母親衣衫寬大，一時還沉不下去，就這樣在河水中載浮載沉的飄流。說來也是幸運，他們最後都漂到河中間水淺的沙洲上。別人都說他和母親的福氣大，大難不死，必有後福。

孩子笑著說出這段故事，他卻緊張得握住他的手，他差點就這樣不明不白的失去他的兒子！現在他已回到他身邊，他發誓不能讓類似的危險再發生在他身上。

此時，他的內心更感痛楚。原先，他還一直怨恨齊姬不耐清貧離他而去，每當想到她時，總會想像到她又是正躺在哪個王孫公子或大富巨賈的懷裡，他會又嫉又恨，卻萬萬想不到她竟是洗淨鉛華，回到齊國鄉下老家去了。

但她為什麼這樣傻，為什麼發覺懷孕，竟不肯回來找他？為什麼找到了秦國，卻要先自殺？

他明白她的心意，也許她這樣是要表明，當年她離開他並不是耐不了清貧；如今來找他，更不是貪圖他的富貴，而完全是為了他們兒子的前途。

但為什麼要這樣傻？不死不行嗎？

如今只留得荒山一塚，空對山風殘月。

甚至為了不洩漏風聲，他都不能眼看著她下葬，只交代縣尉擇地安葬，立一塊石碑，上刻「愛姬齊夫人之墓」，暫時連他的名字都不能刻上去。

太子不能和女人自殺的事連在一起，太多父王的寵姬愛子正在作最後努力，想奪取太子這個位置。父王最討厭的是玩女人玩出毛病，弄出登門告狀或是自殺抗議的事。因為他認為這是男人沒有能力的象徵，連個女人的事都擺不平，還談什麼治理國家平定天下。

不過，他再捫心自問，她的死真的一點價值都沒有嗎？假若她真的是活著帶孩子來找他，也許他眞的會輕視她，認爲她是爲了貪慕他的權勢地位，連帶對這個來路不明的孩子有所反感和懷疑。

——多偉大的母愛！

——多不幸的巧合！

他明知道趙政不是自己的親骨肉，他卻無法否認：這孩子無論從長相、從他們心靈的交融感應，他明確的知道他是他的兒子，但要徵得大家的確認，他還得費一番心機。

首先是父王及王后的承認，再來是宗室府的認證登籍，然後是眾大臣甚至是全國民眾的認定。

最要緊也最困難的，也許是要楚玉夫人的接受。雖然她還在趙國，他也並不想她回國，但遲早她是要回來的，她是正室，名義上所有子女都是她的，要得到她的認可。而且，朝中如今早有大臣在議論，批評他爲什麼這樣久不設法讓夫人及嗣子回國。

同時，他最終的目的應該是廢嬴政，立成蟜，但這不是他個人可以做主，牽涉的人和事範圍都太廣，這得從長計議。目前最急迫的是要如何不牽連到齊姬的死，而能將這孩子推出到父王母后及大眾面前。

躺在懷裡的孩子，不知什麼時候停止了說話，鼻息均勻的睡著了。他感到抱著他的手有點酸麻，可是怕驚醒他，他動都不敢稍動一下。

很快他又陷入沉思，往事、未來，以及兩者混雜在一起，他也感到迷惘了。

路邊村莊有隻雄雞在啼叫，背後東方天上已出現魚肚色的曙光。

他親吻著孩子的頭髮，第一次感到做父親的滋味這樣複雜——擁有希望的喜悅，負擔沉重的憂懼，還有很多很多其他用言語無法形容的感覺。

5

中隱老人盤膝而坐，兩目如電的注視著子楚。子楚則帶著孩子跪伏在他前面，口裡說著：

「太師傅有以教我！」

天亮時他回到東宮，就接到侍中的報告，大王昔日的老師昨天住進了宮中。

他在邯鄲見過老人，也知道他的來歷，當然更知道他對趙政的感情和教導，但他和父王的關係，則是首次由侍中口中聽到，而且由父王指定住入東宮，很明顯的，父王的意思是很快要讓趙政母子回國，老人可以就近教導趙政，說不定連他一起交給老人管教。

他稍作考慮就作成決定，他要主動帶成蟜去見老人，看看他有什麼想法。

因此，他和成蟜沒作休息，沐浴更衣，梳洗完畢，派侍女打聽到老人已起床，他就帶著成蟜求見。在回咸陽的路上，他就已教好成蟜，對任何人都不要談起他母親的事，只說有人將他由齊國送到此，送他的人已經回去。

依照老人和父王的關係，他應該是最好的說客，能很輕易說服父王母后接受成蟜。但以老人和趙政的關係，假若他再知道他與呂不韋和趙政之間的糾纏，老人也許會站在趙政這一邊。

不過，這已經是日後的事，目前他最緊要的是爭取老人的支持，讓成蟜順利的認祖歸宗。所以他一進門見到老人就行大禮。

老人打量兩人良久，突然哈哈大笑：

「太子請起，老朽有什麼能幫助太子，儘管直言。而且我和你父王的關係，已是三十多年前的往事，現在我是你兒子的師傅，我們是站在平等地位的。請起來，坐下說話，不然老朽也只有跪下了。」

老人真的起立作要跪下的姿勢，子楚只有起來坐好。

他接著照想好的話，說是齊國有人送這個孩子來，前天去長安就是為了接他。

「眞像，眞像，好像是一個模子鑄出來的，誰都一眼看得出是你的兒子。」老人點點頭說：「老朽有什麼幫得上忙的地方？」

「認祖歸宗，按秦律手續非常繁複，尤其這孩子是由齊國送來，還要請太師傅在父王面前美言幾句。」

「你自己都承認這個兒子，你父王還有什麼好說的？這個順水人情老朽做得到，也樂意做。等等，你說此子是由齊國送來？」

「不錯，由齊國送來，不過送的人沒到咸陽，昨天就直接由長安回齊國去了。」

「眞的是這樣巧？」老人說完這句話，接著掀鬢哈哈大笑，聲震四壁。

「太師傅爲何如此大笑？」子楚心虛，深怕老人是識破了他的謊言，他惶恐的問。

「一言難盡！一言難盡！」老人仍然笑個不停：「我要趙悅在邯鄲造謠，說是齊國發現了你的兒子，已準備護送回秦，沒想到齊國眞有你的兒子送回來。」

「在邯鄲造謠？」子楚還是一頭霧水。

老人笑著將三道錦囊計的事說了，子楚這才明白，不禁也連聲稱奇，眞是巧合！但一面也在想，看情形，趙政母子回國已成定局，他得先採取主動，以免落人話柄。

老人突然轉臉問猶跪在地上的成蟜說：

「孩子，你的母親現在哪裡，這次沒有送你來？」

成蟜遲疑了一下，望著子楚，子楚連忙代爲回答說：

「他母親齊姬已在齊國老家去世，所以才託人帶來找我。」

接著子楚簡要的談了一些齊姬的事，當然隱瞞掉死在長安的這段事。聽父親談母親的事，中間還夾雜著謊言，大人的世界竟是這樣虛僞複雜，成蟜忍不住悲從中來，開始啜泣。

「沒有母親的孩子，可憐！」老人看著子楚說：「今後太子還得在這個孩子身上多操點心，你父王那裡，應該是沒有問題，不過你需要在華陽王后那裡多下點功夫，認祖歸宗的事，女人的話比較著力些。」

「多謝太師傅，子楚還有項請求。」

「哦，說說看。」老人微笑著說。

「希望太師傅能收下成蟜，與趙政同時受教。」子楚誠懇的說。

「太子是想累死老朽，趙政一個人已經夠我煩的，如今我早就在後悔，不該聽趙悅的話捲入這場漩渦。」老人笑著拒絕。

「望太師傅成全。」子楚也跪下來，並要成蟜叩頭。

「老朽不答應，看情形太子是不會放過我了，」老人皺著眉頭說：「好吧，教一個是教，教兩個也是教，既然鞋子已經濕了，何不連襪子都脫掉來淌這灘渾水！都起來吧，老朽答應收成蟜爲徒，不過收徒的規矩與收趙政相同，不得因你是太子而有所例外。」

接著老人將收徒規則一一說了，子楚當然是衷心歡喜，滿口應承。老人似乎是看透了他的心意，他最後正色的說：

「爲人師和爲人父一樣，對孩子不能有所偏愛，重要的是要因材施教，使他們能發揮天份，各自成器，尤其是王室子弟，成器與否更關係到國家乃至於天下的安危，」說著話時，老人目光如箭，直穿子楚心頭：「因此，雖然趙政先入我門，但老朽不會因先後而分厚薄，希望太子未來對他們兄弟也是如此。因材施教，以器而用，爲國家爲天下作最好的選擇，那老朽的辛苦就不算白費了。」

子楚明白老人話中的暗示，他是要他在未來擇立的時候，不要有所偏心，正如他教兄弟倆沒有偏私一樣，誰適合就立誰。

老人不偏向趙政，子楚放下一半心，因爲他清楚老人在父王前面的影響力。

6

秦孝文王元年十月己亥，孝文王除喪，正式即位。

趙國得知齊國眞有秦太子的一個兒子，而且已經秘密送回秦國，並得到秦王的承認而認祖歸宗，這下緊張起來，決定立即主動送楚玉夫人母子回國，作爲對秦王及太子正式立位的賀禮。

楚玉夫人回國，正好趕上孝文王登基大典，自有一番熱鬧。秦王夫婦對這個從未謀面的兒媳很滿意，特別是華陽夫人，既是故國同鄉，小時的悲慘遭遇又復相似，再加上楚玉夫人善解人意，每逢朝見王后，都是著楚裝操楚語，使得王后對她更是憐愛交加。

但是，表面上她是闔家團圓，脫離了在趙國當人質當逃犯的苦楚，而且得到公婆的喜愛，實際上她感覺得出，她又陷入孤立無助的困境。

以女性的直覺，她憎恨成蟜，意識到他是未來爭太子位、爭王位的勁敵，雖然她是正室，眼前佔著優勢。

她一再要求子楚正式立嗣，子楚總是藉口推辭，說什麼他這麼年輕，將來登王位時立太子還來得及，現在著什麼急。很明顯的，他是不想立趙政——歸秦以後他已改名爲嬴政——只是目前找不出理由立成蟜。

她轉向呂不韋求助，也想和他敍敍舊情，但呂不韋爲未來大局著想，就是不應她的召。無論她用盡軟求硬逼和威脅的方法，他就是避不見面。

她也求過中隱老人，老人的回答更妙：

「我只管教育他們，一視同仁的教，將來誰成太子成王，要看他們自己的材料。假若我要偏心的話，也當偏向成蟜，因為他沒有像妳這樣能幹的母親。」

聽了老人的話，她差點氣得吐血。

當然她不敢在秦王面前透露什麼，可是在王后跟前，她就像個寵驕了的女兒一樣，她任何嬌都敢撒，任何話也敢講。她每次見面都提到這個問題，華陽王后也總是笑著說同樣的話：

「哀家不明白妳操個什麼心？妳是正室，嬴政是長子，只要不犯重大錯誤，他就是嫡嗣，也就是未來的當然太子。子楚當年立嫡，乃是因為他是庶出，嬴政立嗣，豈不是多此一舉？妳還是多注意嬴政的教育言行，相信子楚不會怎樣，手心是肉，手背也是肉，兩個都是他的親生兒子，也許他悼念亡妻，比較多關懷成蟜一點，那也是人之常情，在未來立太子這類的大事上，他是不會這樣糊塗的。」

王后這些話只有使她暗暗在心中叫苦，再怎樣親密，她總不能向王后說出自己的心結。最使她傷心的是嬴政並不了解她這番苦心，他和成蟜好得出奇。他們同師受教，日夜都在一起，相親相愛，就像同母兄弟一樣。

老人還是堅持他的教育原則，雖然就住在太子宮內，弟兄倆還是和他同住在一個收拾乾淨的別院裡，衣食住行的日常生活都是自行處理。沒事的時候，老人就帶著兩個孩子逛街，實施機會教育，完全和在邯鄲時一樣，只是老人不再賣瓜而已。

嬴政和母親相處的時間，一個月仍然只有三天，但孩子大了，不像以前那樣依戀母親，何況按照秦宗室律規，庶出子生母死，由嫡母扶養，嬴政每月回家省親，成蟜一定是跟著的，他們只早晚請個安，就雙雙出遊去了。

看著兩人這種親熱的樣子，她眞是恨得咬牙切齒，益發感到孤立無助。

在有限的母子私下兩人相處的時候，楚玉夫人也曾試著挑撥嬴政和成蟜之間的感情。她向他暗示，父親是偏心成蟜的，他要特別注意檢點言行，加強學習，但也要提防成蟜，因爲他是他走向王位的對手。但嬴政聽了只是笑笑，反而告訴她老人教他們的話：

「你們兄弟倆要相親相愛，不要因爲生母不同就有所隔閡。嬴政爲長，應該愛弟弟，成蟜爲幼，就當敬重兄長。王室子弟本來就要多，才能互相護持，鞏固國基，但要是兄弟相殘，反而動搖國本。你們只有兄弟兩個，要是不相愛而相互猜忌，未來後果，更是不堪設想。」

楚玉夫人聽了，只得在心中嘆息，表面上還不能不點頭說對。

最使她心驚的是她發覺到齊姬的事。

子楚每個月一定會輕車簡從前往長安一次，也就是每個月齊姬的忌辰當天，有時他甚至還帶著成蟜去。

她當然從成蟜口中問不到什麼話。她找到那個御者，在威脅利誘下，他從頭到尾吐露了實情。

但她就是知道了實情，又能怎樣？她無法用這來要脅或是打擊子楚，鬧出去，要是將子楚的太子鬧掉，那他們母子更是全完了，那只是斷絕嬴政通往王位的路。

在所有的求助之門都向她關閉以後，她只有靠自己了。齊姬自殺而成全兒子的事，帶給她一個錯誤的啓示，使她作了一個愚蠢的決定——

既然成蟜是她兒子通往王位的障礙，她就得除掉他，至於所會引起的後果，她全不在乎。就像一頭保護幼獸的母豹，在認爲外界敵人要傷害到牠們時，牠會不顧一切的瘋狂攻擊，不管那是眞正的敵人，或者只是牠自己的幻覺。

7

那天晚上，算好明天是嬴政兄弟休假省親的日子，她無法安睡，不斷在室內走來走去，想著如何除掉成蟜這個障礙。這件事不能假外人之手，否則事未成恐怕就已洩漏出去。她想出十幾種辦法，也考慮到十幾個不妥當。

最後，她決定明晚用餐時，以毒酒毒死成蟜。她喃喃自語說：

「這樣最好，成蟜死了，可以說他是急病身亡。子楚知道，爲了保住太子的位置，他也不敢聲張，一個來路不明的野孩子的死，總不能和太子位置來比，他不但不會揭發追究，而且還得幫我掩飾。」

想到得意處，她忍不住格格的笑出聲。

她打開一處壁櫃，取出王后賜給她的一瓶葡萄酒，另外找出一把玉酒壺，這酒壺是她在邯鄲的一家玉器店買來，據說是古時國君專用來毒殺大臣的。酒壺設有夾層，內中可藏毒酒，只要一轉動壺蓋，就可隨心所欲的倒毒酒或美酒出來。國君讓大臣喝下毒酒而不自知，因爲看到國君也是喝同壺倒出來的酒，等到回家後毒發身亡，才知上了對方的當。

她當時買這把酒壺，是爲了好玩，想不到如今竟派上了用場。

她在壁櫃的隱密處拿出一包鶴頂紅，這種藥的藥性至毒，只要少許份量就可以毒死一條牛。在秦國的重刑制度下，宗室人員、文武大臣，莫不人人自危，全都在上朝時身帶此藥，一有得罪就呑藥自殺，死得痛快，免得下廷尉，受盡屈辱苦刑，求生不得，求死不能。

她將酒和藥都調製好了，隨同一套夜光玉杯放在壁櫃的外層，以備明天方便使用。

一切都準備好，她反而感到輕鬆了。苦惱來自矛盾，她現在克服了矛盾和恐懼，心中有種說不出的愉悅。

除去成蟜，她就完全放心了。

緊張的心情一放鬆，她別方面的慾望又興起了。她拉動叫人鈴，繡兒隨著鈴聲而至。自從在邯鄲那次開始以後，這多日子來，她已成了她的性伴侶，也就是發洩性慾的工具。

她發覺到，兩個女人在一起，比和男人做愛更好，互相都明白對方的敏感處，不像男人那樣粗心大意只顧自己享受。也許是她到目前爲止，經過的男人還太少。

她只有過兩個男人，呂不韋能滿足她，可是太懶，只希望女人服侍他，和他做一次愛下來，雖然是淋漓盡致，但會累得半死。而子楚則是大笨牛一個，他根本不懂得女人的需要，上來就橫衝直撞，片刻就完事，一轉身就睡著了。

她蒐集到不少古籍，類似《素女經》的房中秘笈，有竹簡的，也有羊皮卷的，全都是圖文並茂，文字形容貞切，圖形生動靈巧。她在邯鄲還帶來一些歡喜神像，全都是精工雕琢的碧玉製品，各式各樣的交合姿勢，各種不同的面部表情，尊尊都是栩栩如生。

她帶領著繡兒按圖尋驥，照文深研，時間一久，繡兒成了床上高手，她更成爲此中的藝術家。

她發現，床上的事不只是要滿足慾望，而是一種尋求人間極樂的技巧，也是一種引人入勝的藝術，就像她繡的湘繡一樣，精巧細緻，別出心裁，這只有女人和女人才辦得到。粗魯愚蠢的男人沒有這個耐心，也很少有這股耐力。

經過她的澆灌培養和特製藥物的調理，繡兒不再是昔日瘦巴巴的女孩，變成了豐盈白皙、三圍凸顯的床頭美女。她精通按摩術，經過她的按摩以後，楚玉夫人渾身上下沒有一根筋不舒服，似乎全身都進入一種飢渴等待的狀態，等待著她進一步的服務。

可是今天繡兒似乎一反常態，她的手不再靈活，而是在發抖，回答她的問話時，也是結結巴巴，一副心不在焉的樣子。

「妳病了？」她憐惜的問。

「是的，奴婢今天的確有點不舒服。」繡兒可憐兮兮的回答。

楚玉夫人雖然現在全身都在冒火，等待她來冷卻，但這種兩人合作的事，只要一方面勉強，就會做得索然無味。她用嘴唇試了試她額頭的溫度，的確是冰涼得嚇人，卻忘了她自己正在發熱，嘴唇更燙。

「妳在發冷？抖得這樣厲害！」她嘆了口氣：「去喊湘兒來。」

「是。」繡兒退出房門，說也奇怪，她身上不再發冷發抖，臨出房門，她還聽到楚玉夫人囈語似的在說：

「應該訓練一個預備的了，免得臨時有個急事或病痛什麼的，急死人卻無人可用！」

繡兒眼看著湘兒嬌小的背影消失在楚玉夫人的臥室裡，心上有點妒意。又是一個從前的自己！今後她會取自己而代之，還是和她分享這份寵愛？

但她有著更多的欣慰，她先前在窗外陰暗處，看清了楚玉夫人在房中一切的舉動，從頭到尾，看得清清楚楚，她調毒酒要毒誰？看剛才她對她的態度，目標不像是對著她來，但到底她要毒誰？

她又回憶到剛賣到呂不韋府中，總管交代她的那番話：「大戶人家稀奇古怪的事，每天都在發生，儘量少聽少看。要是實在避免不掉，看到了或是聽到了，就儘量忘掉，不要跟任何人提起，這樣可以免禍。」

她要儘量忘掉剛才所看的，儘管她晚上會做惡夢！

8

又是三天休假省親的日子，嬴政和成嶠向老人行禮告退後，前後追逐跑出別院，像兩頭脫離母虎視線的乳虎，戲弄打鬥，將這個月才學到的拳技擒拿，全拿出來運用上了。他們不再有忌諱，盡情的吼叫大笑，猶帶童音的笑鬧聲，傳遍了整個東宮後花園。

趙高早已在別院門口等候，在兄弟倆跑出來的時候，本來他要向他們稟報，楚玉夫人等著要見他們，並且今晚要召宴他們。可是嬴政一出別院門，就重重打了他一下頭，一溜煙的跑掉了。他要去追成蟜，他們約好出城賽馬，要是先見母親，她囉哩囉嗦拉著不放，脫不了身，今天的馬就賽不成了。所以他跑出很遠才轉身向趙高大喊說：

「告訴我娘，晚上我會帶弟弟回來晚餐！」

他情願晚上回來挨母親的嘀咕，也不願放棄一天的自由。

趙高站在原地，小大人似的搖搖頭，一臉的無奈。

這個和嬴政同年同月同日同時生的趙高，雖然只有十歲，但看上去似乎和同是十歲的嬴政和成蟜，乃是不同年齡的兩代。

他瘦削的臉成熟得不像孩子，突出的下巴顯示出個性的頑強，淡淡的眉毛下面，長有一對小眼睛，不停的轉動，不知道他在想些什麼，鷹勾鼻配著高顴骨，顯得兩腮更凹。

他善於察言觀色，臉上始終掛著諂媚的笑容，嬴政臉上有任何表情，他就猜透了他想要的是什麼。他反應靈敏，說話卻是慢條斯理，似乎每句話都是經過周詳考慮才說出來的。

嬴政在他八歲的時候就常罵他，說他不像八歲，卻像是八十歲的老頭子。

子楚沒有食言，回到秦國以後，他看待他就像嬴政和成蟜一樣。他原本也要老人收下趙高，但老人見過趙高以後，表示兩個已經夠他累了，實在沒有精力再教第三個。不過，在一次兩人私下的談話裡，老人鄭重的告訴子楚，趙高這個孩子，智力遠超過他的年齡，一臉陰沉之氣，乃是心高氣傲，不甘屬於人下的人。他長得鷹鼻鼠眼，表示他刻薄寡恩，更多猜忌，爲人上則凶殘，爲人下則犯上。

老人還半眞半假的說，假若讓他跟著嬴政，將來一定妨主，不如早早殺掉，以絕後患。當然子楚不會聽他的，他只認爲老人喜歡俊秀的孩子，厭惡趙高長得醜罷了。其實他在心裡也感到奇怪，趙升模樣和他相似，雖然缺乏那股王孫公子天生雍容高貴的氣質，卻也算得上挺拔秀氣，怎麼會生出這樣猥瑣的兒子？

他受趙升的恩惠太大，沒有趙升的李代桃僵，他早就死於趙王的盛怒之下，無論如何，他要善待趙高。

老人既不肯收，子楚只得另外爲他請老師，教他學書學劍，學詩、書、禮、樂、數、御，完全是以王孫公子的教育來培養。在受基礎教育時，老師對子楚的反應是：趙高聰慧過人，眞可說是能舉一反三，聞一知十，思想之深刻與條理，不像個孩子。稍後在養成教育開始時，那位飽學老儒就自請辭職。子楚驚問原因，老儒的回答是趙高只喜刑名之學，對其他學問都不感興趣，而刑名正爲儒家之短，他教不下去了。

子楚一想，老人說趙高天性忌刻凶殘，刑名獄政也許正適合他，於是另聘了些法家之士專教他刑名、獄政、法令之學。

老人對子楚說的這番話，日久也逐漸傳到趙高耳中。因此他恨老人入骨，他常握緊拳頭在心裡罵：

「你這個背後傷人的死老頭，只要你活得夠久，等老子長大掌權，看我怎麼折磨你！」

另方面，無論子楚待他怎麼好，他對他最不感激，他的父親替代他而死，這個恩怎麼報都是報不完的。他只想到喪父給他帶來的不便和心靈上的痛苦，卻從未想過假若趙升不死，他趙高現在只不過是個家奴之子，生殺之權都操在主人手裡，就像主人家母狗生的小狗一樣。他父親的死爲他全家帶來幸福，以及他個人可期的輝煌前途。

但這些他只存放在心裡，從不表露於形色，更不說透露在言語之中了。

他對待子楚夫婦和嬴政兄弟，還是以恭敬戒慎的奴僕態度。楚玉夫人最喜歡他，說他這樣小就如此懂事；嬴政喜歡他，因爲他能預先逢迎他的心思；只有成蟜不知爲什麼，他對他感到害怕，一看到他陰沉的臉上居然還能掛上微笑，他就心驚肉跳。

9

晚餐設在寬敞豪華的起居室裡，白天這裡是三面有窗，明窗淨几，晚間則是周圍和天花板上都佈滿了各式各樣的燈和燭台，全部點亮，光明有如白晝。

喜歡光亮，欣賞燈燭輝煌，以及其所襯托出的珠寶玉石的晶瑩，是楚玉夫人在呂不韋府中就培養出的習慣。

室內設有三個席位，楚玉夫人自己坐在正中上席，等候她兩個兒子的到來。

她的席位上擺有一把碧玉酒壺外加三個玉杯，這是另外兩個席位上沒有的。

每個席有兩名侍女侍候，站在楚玉夫人背後的是繡兒和湘兒。繡兒不敢看那把玉壺，卻又忍不住用眼角偷偷的斜著看，但只要目光觸及那把玉壺，她就不禁兩腿發軟。

「湘兒，去看兩位公子怎麼還沒到，沐浴更衣要這麼久？」

正說話間，門外已傳來嬴政和成蟜的嬉笑聲，他們手牽手正跨上門前的石階。

他倆穿著同樣的黃色繡袍，頭頂束髮金冠，長長的餘髮散披在背後。

楚玉夫人剛才還在猶豫，內心中天人交戰激烈，但一見到成蟜像極了子楚的臉和走路神情，她的妒火上燒，掩蓋了理智。

她剛才還想到子楚回來後，看到成蟜已死，會是個什麼表情，但一想到子楚此去是去長安祭齊姬的墳，她的決心更堅定了，放著活的不聞不問守活寡，卻遠巴巴的去悼念死人！她恨！她情願死，只要嬴政通往王位的路不再有阻礙！

嬴政兄弟跪下行過參拜之禮，分在左右席坐下。在用過一點菜肴以後，楚玉夫人坐著說：

「你們兄弟都已十歲，嬴政已完成了基礎教育，成蟜也有福跟著老人學習，希望你們兄弟能相親相愛，他日更要互相扶持。今天爲娘心情很好，十歲的男孩也可以嘗嘗酒的滋味了，爲娘這裡有一瓶華陽王后賜的葡萄酒，性質不烈，適於小孩喝，你們到跟前來，陪爲娘喝一杯。」

兩兄弟跑到楚玉夫人席前。

「繡兒倒酒！」楚玉夫人微笑著向繡兒說。

「是！」繡兒小聲答應，楚玉夫人的微笑，在她眼中有如利刃的閃光。

她跪倒下來，拿起酒壺，神色立即大變，顫抖的手將酒大半都倒在酒杯外面。

嬴政詫異的看著她，楚玉夫人仍是帶笑的說：

「她昨晚病了，身體還未復元，妳去休息吧。」

「是！」繡兒答應了一聲，很快退到屏風後面。楚玉夫人自己拿起玉壺，有意無意的旋轉了一下壺蓋，將自己和嬴政的酒杯倒滿。

成蟜對這些情形仍懵懂一無所知，可是全看在嬴政的眼裡。就在夫人舉杯說道：

「祝你們兄弟學業進步！」

他很快將成蟜的酒換了過來，兩人也舉杯說道：

「祝母親身體安康！」

成蟜將酒一口喝了下去，他卻裝着不小心將酒倒翻在桌几上。他看到母親先是驚慌接著含怒的表情，他裝著沒見到。成蟜仍然不知眼前的情況。

「三杯爲滿。」楚玉夫人仍然不動聲色的要湘兒換來一隻玉杯。她親自將酒倒滿，嬴政注意到這次她是先爲自己和他倒酒，最後爲成蟜倒酒的時候又轉動了壺蓋一下。他又想換酒，卻爲夫人用手擋住了，她依然臉帶笑容說：

「嬴政，不要調皮，剛才換酒打翻了酒杯，現在各喝各的。」

成蟜端起面前的酒要喝，嬴政卻一手打掉。

「嬴政，怎麼在爲娘面前如此無禮！」楚玉夫人滿臉漲紅的怒喝，她再也無法保持那股雍容。

「稟告母親，孩兒剛才想起，師傅今天特別交代，我們正在練一種功夫，嚴禁飲酒，否則會閉氣吐血而死。」

「有這種功夫？」楚玉夫人裝著怒氣平息而轉向成蟜問。

「好像是吧！」成蟜仍是一臉茫然。

「好在你只喝下一杯，尚無大礙，母親，我們實在是不能喝酒。」不待吩咐，他就拉著成蟜回到各人的席位上，裝著無事的吃喝起來，但他還是不時看著成蟜，看到他無事的大吃大喝，才完全放下心來。

這場晚餐表面上非常愉快，成蟜是渾然無知，楚玉夫人母子也都裝成什麼都未發生一樣。

10

「師傅老爹，你說我該怎麼辦？」嬴政跪伏在地，傷心的說完三天前晚餐的事，請求老人設法。

老人閉目良久，才沉吟的問：

「你和成蟜都沒喝，怎麼知道那是杯毒酒？何況成蟜喝下一杯，不是沒事麼？」

「母親每次倒酒給她自己和我時，都會旋動一下壺蓋。而且據侍女事後告訴我，那隻我們從邯鄲帶回來的小黃狗，舔了一下酒濺過的桌上殘肴，就全身抽搐而死！」

「這麼毒的藥，不是牽機，就是鶴頂紅！」老人自言自語的說。

「什麼是牽機?什麼是鶴頂紅?」嬴政好奇的問。

「小孩子不要知道那麼多。」老人裝著生氣。

「您不是說隨事都可發問，隨時都有機會教育麼?」

「鶴頂紅是用鶴頂那顆紅丹提煉而成，因鶴喜食毒蛇，所有劇毒全逼聚在頭頂紅丹裡，所以鶴頂紅乃天下最毒的毒藥。牽機藥亦至毒。兩者呑食以後，立即身亡，但不像一般毒藥毒死會七孔流血那種慘狀，只是心臟麻痺致死，外表看來就像急病身亡。只不過牽機中毒，人會抽筋，死後四肢捲縮在一起。」

「小黃只抽搐，沒有捲縮在一起，那一定是鶴頂紅。」嬴政肯定的說。

「也許，」老人仍閉著眼睛問：「小黃呢?」

「侍女們偷偷埋掉了，她們一個個都嚇得想哭。」嬴政想想好笑，竟笑出聲來。

「這樣嚴重的事，你還笑得出來?」老人責備說。

「是，老爹，請告訴我該怎麼辦?這三天，吃喝睡覺，甚至是上廁所更衣，我都跟著成蟜。我全是帶他到街上買吃的，母親送宵夜點心來，我都要侍女先嘗過，然後我再和成蟜分著吃。」

「這樣防備不是辦法，她一心想害成蟜的話，眞是防不勝防！」

「老爹，那我們該怎麼辦，稟告我父親？」

「嬴政，不要忘了，她是你的母親！」

「……」嬴政一時說不出話來。

「妳知道她爲什麼要這樣做？」老人意味深長的問。

「也許是因爲成蟜不是她生的，也許是因爲齊姨的事。」

「齊姨？齊姨是誰？」老人驚奇的問。

「成蟜的生母啊，老爹你都不知道？」嬴政詫異的反問。

「她不是死了，在齊國死了嗎？」

「死是死了，可是不是死在齊國。」嬴政搖搖頭。

「那死在哪裡？」

「死在長安，也就是父親那天接成蟜來的地方。而且父親在那裡築了一座墳，每個月忌辰他都會去，也帶成蟜去過。」

「你怎麼知道的？你母親怎麼知道的？」老人說：「連我都不知道！」

「母親是自己打聽出來的，而我是成蟜自己告訴我的。」嬴政語氣中帶著驕傲。

「唉，」老人似感嘆似欣慰的嘆了口氣，又問：「成嶠和你很好？」

「當然，他是我的弟弟。」

「你沒想到有一天也許他會和你搶王位？」

「搶王位？才不會呢！」嬴政笑了，天眞又有點邪門：「我們對天發過誓，他絕不會想當國君，只是全心全力的輔助我。而我也答應他，不管當不當國君，這輩子我都會愛護他，不會欺侮他。」

老人嘆嘆氣又閉上眼睛，看來這件大人覺得複雜的事，小孩已經自己簡單解決了。

「說了半天，老爹，您還是沒有告訴我，我母親要害成嶠，我們要如何設法防止？」嬴政不滿的說。

「誰惹的事情還需要誰去解決，你們之間的事也需要你們去解決。」老人睜開眼睛，注視著嬴政，正色的說。

「我們？」嬴政也注視著老人，不斷的搖頭。

「再過幾天就是望日了，是不是？」老人自顧自的問。

「不錯。」嬴政想了想回答。

「按宗室成規，朔望，也就是每月初一和十五，國君和太子都要宿在正宮和東宮正室……」

「爲什麼？老爹您又怎麼知道的？」嬴政好奇的問。

「小孩子不要知道這麼多，聽我把話說完！」老人當然明白，按照古老生理推算法，女人月信每月來一次，初一十五的懷孕機率最高，所以這個優先機會要讓給正宮正室，但他無法向嬴政解釋：「你明天去告訴你母親，說是望日太子來時，我要去拜訪，到時候我會有辦法。還有，現在你附耳過來，我教你和成蟜那天該如何作法。」

他們師徒之間開慣了這種玩笑，明明是一句無關緊要的話，老人有時也會故作神祕的要他附耳過去，但嬴政知道師傅今天不會開玩笑。

他跪行到老人旁邊，果然老人在他身邊講了很久的話，嬴政不時微笑，不時連連點頭。

11

招待老人的晚宴依然設在起居室裡，這樣顯得更溫馨，更像家庭團聚。

老人坐在中間的客席上，子楚夫婦在西側席位相陪。楚玉夫人帶著兩個孩子同席，一邊坐一個。在子楚面前，她總是表現得對成蟜特別的好，她爲他整理頭髮，拉直壓在身下的衣服，在在都像一位慈母。她不斷爲成蟜夾菜，剔骨去刺，將成蟜看成是個兩、三歲的孩子。

老人看在眼中，只是微笑不語。

子楚看了卻非常感動，她人眞的不壞，這幾年來自己的確委屈了她，她卻毫無怨言，雍容大度。

成蟜今晚也和她特別親熱，眞的像兩、三歲的孩子，有時還會依偎在她懷裡撒嬌。嬴政則是靠在母親懷裡，時而和成蟜小聲低語或取笑，但每逢母親夾菜給成蟜吃的時候，他總會搶去一半，似乎不願讓成蟜獨享母親的寵愛。

看到這副景象，子楚又想起齊姬，不禁眼睛有點發熱。他裝著叱喝兩個孩子坐好，十歲的孩子已是半個大人，應該學點餐飲儀節，實際上他是在按捺自己激動的情緒。

「太子不必責怪他們，他們兩個都是老朽教出來的，」老人笑著說：「要怪就怪我。」

「太師傅，子楚怎麼敢，我只是提醒他們一下。」子楚陪笑說。

「其實，這是家宴，這兩個孩子和老朽相處的時間，比和太子及夫人的時間來得長，不必將老朽看成是客，否則我也坐不下去了。兩個孩子平日很少享受母愛，就讓他們盡情享受一下。」

「是，太師傅，子楚敬您一杯。」子楚舉杯喝了，想藉此轉變話題。

老人只虛舉了一下酒杯，放下杯子，又再繼續講下去：

「的確，人的情緒有如琴絃，彈奏的時候調緊，不彈的時候就該放鬆，否則會失去彈性，也容易斷，夫人是弄琴高手，老巧的話對否？」

「正是如此，」楚玉夫人微笑著說：「想必太師傅也是此道中大師，還望有閑時指教一二。」

「老朽老矣，不彈此調久矣，」老人嘆口氣說：「看到他們兄弟如此相愛，我倒想起一個故事。」

「願聞其詳。」子楚夫婦異口同聲說道。

「我喜歡聽故事！」兩個孩子同時拍手歡笑，老爹剛才壓住父親的話，給了他們發揮天眞本性的極大鼓勵。

老人喝了一口茶，徐徐的講出一段吳國往事——

吳王壽夢有四個兒子，長子名叫諸樊，次子名餘祭，三子名餘昧，最小的兒子叫季札，他也最爲賢德，壽夢一直想立他繼承王位，季札始終不肯，只得立了長子諸樊。王諸樊元年，諸樊除喪要正式即位時，堅持要讓位季札。吳國人也都擁護他，季札不得不逃到深山隱居，耕田而食，諸樊和吳人才勉強放過他。

諸樊在位十三年，臨死時遺命傳弟不傳子，就傳給了二弟餘祭。餘祭在位十七年卒，又傳位給三弟餘昧。他們兄弟的意思是，這樣傳下去總會傳到季札的身上。這表現出這些兄弟的孝心，一心一意完成父親的心意，同時也顯出他們是多友愛。

餘眛在位四年卒，要傳位給季札，季札卻逃到國外去了，吳人不得已立了餘眛的兒子僚。但諸樊的兒子公子光則大爲不滿，他認爲，要是傳弟的話應該傳給季札，既然季札不肯受國，那傳子就應該傳給他。結果他用伍子胥之計，趁吳王僚兩個同母兄弟燭庸、蓋餘率大軍伐楚，遭到楚軍包圍而國內空虛之際，使刺客專諸以魚腸劍刺殺了吳王僚，奪位成爲吳王闔閭。

所造成的結果是：燭庸和蓋餘聽說王僚被殺，乃投降楚國，吳國國力因之大受損害。再加上伍子胥投吳，目的是在借兵伐楚，以報父兄無辜遭到楚平王誅殺之仇。因此在他受到闔閭重用以後，一再唆使吳國攻楚，接著又是興兵攻越，遭到秦越聯軍的夾擊，闔閭在這次戰役中傷重身亡，吳國元氣大傷。雖然闔閭的兒子吳王夫差，三年後報了越國殺父之仇，但接連的國內爭位之戰和國外討伐之戰，兵連禍結，國力浪費殆盡，最後吳國是亡在越國之手。

老人說完這段故事，睜大眼睛，兩目似電的來回看著室內的四個人。最後他的目光停留在子楚臉上問道：

「太子對這個故事有什麼看法？」

子楚沉默不語，低頭若有所思。

「夫人妳呢？」老人又轉向楚玉夫人問。

「賤妾乃女流之輩，對軍國大事沒有挿口的餘地。」楚玉夫人微笑著說。

老人撫鬚哈哈大笑，轉向兩個小的問：

「大人都沒有意見，你們兩個說出聽了這段故事後的感想。」

嬴政起坐長跪回答說：

「吳國之亂是亂在吳王壽夢沒有定見，假若他認爲季札賢德，就應該明確立他，相信諸兄長不會反對，季札孝順，亦不敢違背父命。吳國在季札治理之下，定會日益強盛，不會鬧出日後兄弟相殘以致亡國的慘痛結局。」

「你呢？」老人又問成蟜。

成蟜亦起坐長跪回答說：

「自周公訂禮，由來王位和爵位世襲都是傳嫡傳長，壽夢以自己的偏愛，意圖破壞宗法，眾兄弟又只顧愚孝，想完成父親遺願，才會造成這種後果。」

「太子，你對你兩個兒子的看法，有何批評？」老人語帶雙關的問。

「這都是太師傅教導有方，他們的議論非常中肯。」子楚亦言外有意的回答。他是說憑兩個十歲的孩子，天資再聰穎，必不會回答得如此一針見血。

「好了，我將季札的一番話作爲這個故事的結束。他得知公子光刺殺王僚而奪位的消息後，由國外趕回國，哭祭王僚的墓說：『吾敢誰怨？哀死事生，以待天命，非我生亂，立者從之。』由這番話也就知道他內心的痛苦了。」

室內一片安靜，很久，老人才嘆口氣說：

「前車之鑒，人盡皆知，但爲什麼歷史上重蹈覆轍的人會這麼多？」

嬴政這時突然插口說：

「我和成蟜才不會蹈這種覆轍……」

「是啊，我和嬴政曾撮土爲香對天發誓，絕不會爲爭王位，兄弟自相殘殺。嬴政是嫡又爲長，他要是得立，我終身都會輔助他。」成蟜插口說。

「成蟜是我的兄弟，我也終身都會愛護他！」嬴政搶著說。

「住口！」子楚輕輕喝叱，他轉向楚玉夫人問：「成蟜無母，按宗法，妳不但是他名義上的母親，也是要撫養他的養母。」

「楚玉謹奉教。」楚玉夫人低下頭，兩眼滿含淚水，是感激，也是愧疚。

「來吧！故事完了，我們喝酒。」老人飲了一口，突然將酒杯放下：「糟了，一時高興，數十年戒酒，今日破戒了！」接著舉杯乾了，哈哈大笑說：「天下本無事，庸人自擾之，想喝就喝，當做則做，事情本來就是如此簡單！」

正在老人放懷痛飲，大人小孩歡笑不斷之際，突然有名侍女自外匆匆而來，跪倒在子楚席前輕聲報道：

「宮內有急事！大王宣太子晉見，得知師傅在此，也一併傳見。」

老人和子楚面面相覷很久，老人才說：

「太子更衣去吧！老朽在外面車上等候，大王近來身體不好，你心裡得有點準備。」

第6章 嬴政嗣立

1

老人和子楚乘車直趕秦王寢宮，只見宮內燈光明亮，服勤侍中內侍進進出出，全是臉有憂色。但人員雖多，卻無人大聲說話，除了急促的腳步外，整座宮殿仍是一片靜穆，不過警衛顯然是增加不少，更加重了森嚴之氣。

在內侍的引導下，老人和子楚進入秦王內寢，太醫正好提著藥箱由內寢出來。

「大夫，大王玉體欠安？」子楚迎上去問。

太醫一邊行禮一邊回答道：

「大王肝疾復發，這次病勢來得凶猛……」

「大夫必須盡力醫治！」子楚不願聽底下的惡訊，用話阻止他。

「微臣自當盡力，剛才已開了藥方，看看服下幾劑後，是否有所轉機。」太醫帶著幾分無奈的說。

「大王病根在哪裡？」子楚抱有希望的問。

「大王性喜修仙之道，平日所服丹石藥物太多，傷到肝臟。」太醫低下頭說：「微臣常加諫阻，可是大王不聽。」

「太師傅深通醫理，是否有解救之方？」子楚轉向老人問，太醫藉此機會告辭走了。

「沉疴已深，藥只醫能醫之人，進去看看病情再說吧。」老人說這話也是爲太醫解圍。

正在說話，一名宮女來報，華陽王后要他們進去。

秦王躺在病床上，臉色焦黃，華陽王后坐在床邊服侍。看到子楚和老人進來，她揮揮手，要室內宮女和內侍全部出去，室內只剩下他們三人，還有臥病的秦王。

子楚向華陽夫人行過禮後，跪伏在病榻前面啓奏：

「臣兒拜見父王，願父王早占勿藥。」

秦王睜開眼睛轉臉問：

「師傅來了沒有？」

老人上前欲行大禮，卻爲秦王連聲阻止，老人只得作了一個揖。

「太師傅精通醫理，讓他爲父王看看。」子楚稟告說。

老人還未來得及說話，秦王就搖搖頭，苦笑著用微弱聲音說：

「藥只能治不死之人，寡人的病寡人自己心裡清楚，這次是不會再好了。」

他看到老人還是站在床前，連忙道：

「師傅坐下說話，嬴柱死後，還望師傅多指導子楚。」

「老臣不敢，」這時華陽王后親自拿來錦墊請老人坐下：「但盡心力而已。」

「現在朕有幾件事，趁我神智尚清時要交代你。」秦王轉向子楚說。

老人起立行禮要作迴避，但爲秦王用手勢制止。他說：「雖然是嬴柱的家事，但也是有關秦國興衰的國事，假若師傅有心指導子楚的話，也請留下。」

「老臣恭敬不如從命。」老人又復坐下。

「朕此次病因在平日服用丹藥太多，妄想不老所致。如今臨死才知道師傅的話是對的，有生必有死，有死才有生，一切順其自然才是長生之道，」秦王對跪在床前的子楚說：「聽聞你也甚好此道，希望以朕爲鑒！」

「父王玉體會好起來的。」子楚含悲連連的說。

「這個朕自己知道，」說到此他閉目養了一會神，又睜眼向子楚說：「你立位後，逢有重大疑難國事，可向師傅請教，但師傅年事已高，平日不要煩他。」說著他又轉向老人說：「師傅一直以未能遇文王爲憾，嬴柱本來想做文王，可惜登位太晚，壽也太短，願師傅能以姜公望輔助武王之心指導子楚。但只怕他的才幹和國力，都無法和武王相比。」

「老臣不敢，但盡心力而已。」老人又再謙讓。

「軍國大事，蒙驁値得信託，其先雖爲齊人，但事先王一直忠心耿耿，爲人深思遠慮，朕在這一年來受他輔佐極多。武將方面，自白起囚罪賜死後，秦國就一直缺乏將才，亟須培養。朕目前閱兵，發現虎賁軍中一年輕裨將王翦，的確是個人才，但經驗不夠，閱歷尚淺，今後你自己多加注意，加以培植。」

說到這裡，他說話已顯吃力，華陽夫人過來阻止他再說下去，他強撐著說：

「至於呂不韋，他本為你師傅，名為商人，卻是個文武治國全材，可惜商人重利忘義的本性還在，他志不在秦國，而是想在普天下建立他自己的商業帝國，秦國人民利益放在其次，這點你得多加注意和防範。總之，你要使他材幹用於利秦，而不能用於利己。你生性忠厚，鬥智絕不是他對手，有事可向老師傅請教，再不然趁早殺掉。」

秦王說到此，看了看老人，老人點點頭表示贊同。

「還有，你繼位後，想立兩個兒子中的哪一個為太子？」

對這個問題，子楚一時無法作答。

「這本是你自己要決定的事，但要是能知道你所立得人，朕也走得安心些。聽說你偏愛成蟜，有立他的意思？」

「……」

「廢嫡立庶，廢長立幼……」

「不，父王，臣兒受到太師傅的感悟，已決定立嬴政！」

秦王和老人都同時舒了一口氣。秦王微笑著說：

「嬴政天生奇材，師傅和朕都對他抱有厚望，光大秦國，甚至是統一天下，可能都會在他手上完成，至於你……」秦王又閉上眼睛用極富感情的語氣說：「兒子，你和我一樣，生性過於仁厚，再加上生不逢時，先王多年的征戰，國內十五歲以上男丁幾乎傷亡過半。國庫空虛，要不是靠著巴蜀的財富來支持，早就維持不下去了。兒子，你繼位後，最重要的是與民休養，生聚教訓，利用呂不韋的經濟才能，厚植國力，不要妄想向外擴張，懂嗎？」

「兒臣明白。」子楚忍不住有點哽咽。

「與民休養，厚植國力，等到嬴政上來，就差不多了，」秦王面帶笑容自言自語：「從明天起，你代攝國政。你去吧，我累了！師傅，請多照顧子楚和嬴政！」

老人帶著子楚向秦王與華陽王后告辭退出。

2

秦孝文王於元年十月除喪，正式即位，翌年三月即卒，在位一年。子莊王立，年三十二歲。

明年改爲莊王元年，尊華陽王后爲太后，生母爲夏太后，楚玉夫人爲王后，立嬴政爲太子。大赦罪人，對先王功臣大加厚賞，並施行仁政，佈惠於民。

莊王在趙爲質子時，就抱定謀求天下和平爲己志的決心，先王臨終前也交代他，與民休養，厚植國力，但等到登位以後，才明白形勢比人強，秦國已成天下之敵，你不謀人，人卻會謀你。

他剛登位，東周君就與諸侯祕密協商，準備聯合攻秦。莊王派相國呂不韋率兵誅之，將東周領土盡收入秦國版圖，只留下陽人一地賜繼位周君作祭祀封邑。

秦國祖先原只是爲周養馬的邊疆民族，當時的周孝王特別欣賞秦族內一名養馬能手非子，周孝王召他來爲王室養馬，並稱讚他說：「昔日你的祖先大費爲舜帝調訓鳥獸，技術高超，所以舜帝賜姓嬴氏，意思是說，他養鳥獸，繁殖得很快，生息滋多謂之嬴。而你現在爲朕養馬，亦養得如此之好，現在我要分封一塊土地，讓你的族人成爲周的附庸。」

於是封了秦邑給他的族人，教他恢復嬴氏祖先的祭祀，並號爲秦嬴。

但經過幾百年來，周朝日衰，已控制不住諸侯，秦也日漸強大，最後於秦惠王四十四年，秦自稱王，各國諸侯亦隨著稱王。

到周赧王時，周更一分爲二，赧王西徙王城，只管得到西周那部份，東周則另有東周公治理。

秦昭襄王五十一年，西周君背秦，與諸侯約從，將天下精兵出伊闕攻秦，戰略目標是堵塞秦到陽城的通路。於是秦昭襄王派將軍摎率軍攻西周。西周君自行到秦國請降領罪，並盡獻城邑三十六城及宗室王族三萬口。秦王受獻，仍讓他回國，五十二年，西周民眾大批向東遷移，王朝九鼎全部入秦，西周滅亡。

這次東周再亡，周朝因此宣告滅絕。

秦莊王初次嘗到勝利的滋味後，已忘記自己以天下和平爲己任的志向，更不顧先王與民休養的遺命，在當年就接著攻擊韓國。韓國戰敗，獻出成皋、鞏城之地，秦將這塊土地置爲三川郡，秦國的邊界也就擴張到大梁。

秦莊王二年，再派蒙驁攻趙，平定太原。

三年，蒙驁再攻魏國高都、汲城，攻下以後繼續進攻趙國的榆次、新城、狼孟，連佔三十七城。另方面，王齕的分遣軍亦攻下上黨，於是合置爲太原郡。

這三年中，秦軍攻城略地，勢若破竹，秦莊王也才知道祖先爲什麼喜歡征戰。征服別人的感覺有如醉酒，越喝越上癮，到了後來，明知有害，亦欲罷不能。

但在三年三月，他開始嘗到戰敗的滋味。

魏將信陵君無忌率燕、趙、韓、楚、魏五國兵擊秦，秦軍遭到致命打擊，節節敗退，所征服的河內之地盡失，又復退兵到河外陝、華二地。

在這幾個月中，軍中使者每日來報，全都是戰敗的消息，蒙驁帶來的戰報不再是某月某日攻佔某處，某人應請封賞，而是緊急請兵多少，某月某日已退至某處，傷亡若干急待補之等等。

秦莊王日夜操勞失眠，好在相國呂不韋善於調度，軍費糧秣不缺，但要增援，卻發現到正如長平之戰當時一樣，全國十五歲以上丁壯幾乎全在前線，在後方操作農事的大部份為女人，其餘全是由不堪服兵役的老弱殘廢勉強從事春耕，眞的是無力再支援前方了。

他這時才又想起自己曾以天下和平為己任，以及父王要他與民休養的遺命。

秦國自秦孝公以來，一直到秦昭襄王和他父親孝文王，秦國政略是縱橫捭闔，無往不利，秦軍作戰，更是戰無不勝，如湯潑雪。但在他手上，秦軍不敗的神話被信陵君打破了，而且是敗得如此之慘，要不是蒙驁見機果斷行事，不等詔命就自動撤退到河外，也許秦軍會遭到全部受殲的命運。

因此蒙驁雖自請處份，他只是將他免職，要他居家養晦一段時間。

他將一切過失都擔在自己的身上，軍隊戰敗的慘象，咸陽及附近城市出現的殘兵敗將、缺手斷臂的傷兵、夜哭的寡婦，在在都使他回憶到長平之戰後的邯鄲。

他焦急、後悔、愧疚、自責無能，對不起地下的列祖列宗。

心火上焚，再加上體質原本就不好，他很快就病倒了，沒多久就變得奄奄一息，太醫的診斷是急火攻心，肝疾復發，和他父親孝文王病症一樣。

3

秦莊王躺在病床上，那張他父親臨終躺的同一張床上，他自知離死期不遠，但他的確死得不太甘心。祖父活了七十五歲，父親在位雖短，只有一年，卻也活了五十四，只有他，才三十五歲，富於春秋，很多事都等著他去做，尤其是秦軍新敗之戰，尚未雪恥復仇，就此走了，他實在是死不瞑目。

三年前同一間室內，他在此接受遺命，現在他要趁還清醒的時候將遺命交代別人。

華陽王后仍在，她和生母夏太后坐在屋中央的几案前，沉默著，自始至終沒說一句話。中隱老人也來了，坐在一旁閉目養神。他比三年前老得多，人一進入老年，老得更快起來。

嬴政和成蟜雙雙跪在床前，哽咽著不敢哭出聲。

楚玉王后坐在床邊服侍著他，不時偷偷看一下呂不韋的表情。

呂不韋在遠處正襟危坐，臉上不帶任何表情。

蒙驁、王齮、麃公都跪在嬴政和成蟜的後面。

莊王用憐愛的眼神看了看成蟜，心想天下的事爲什麼這麼陰錯陽差，如此的不公平？照道理，成蟜才是眞正的嫡長子。就算嬴政是他的親子，但成蟜出生只比嬴政晚幾天，而且在母親腹中還多待了兩個月，爲什麼依常人的算法，他就變成了次子？假若齊姬不走呢？但她不走又怎麼樣？沒有呂不韋他登不上王位，他到如今可能還是個落魄異國的質子，但他登上王位了又怎麼樣？眼看著王位就要傳到別人兒子的手上，他還不能拆破這個騙局！問題眞是太複雜太離奇，不適合這種時候來想，看來這一切都是天命。

他強振作精神，要王后扶他坐起，厭惡的撫摸了一下嬴政的頭說：

「在屋子裡的人，都是朕留給你的寶貴遺產，也都是你的師傅之輩，你要好好聽他們的話。在未冠以前，跟老師傅的學習不能間斷，宮內的事多聽你母后的話，不要自作主張，國事讓呂相國多爲你操心。軍事方面，王齮、麃公都是不世出的將材，並且一心爲國，值得交託。」說到這裡，他吸了一口氣又再轉向蒙驁說：

「蒙將軍，上次戰敗，罪不在你，而是朕錯估了國力。今後你要盡心輔佐新王，他年事太輕，軍國大事還望你和呂相國多負點責任。」

「臣遵命！」蒙驁叩首回應。

「都請起來坐！」秦莊王無力的說。

他轉臉看看成蟜，心裡有很多話要跟他說卻說不出口，將他交給王后——也就是未來的王太后，他實在不放心，他摸著他的頭遲疑了很久一會，最後才說：

「成蟜封長安君，交夏太后撫養，仍舊跟著老師傅完成未竟學業。至於軍功方面，異日有機會讓他再補罷！」

夏太后起立，將成蟜拉到身邊坐下，表示成蟜已在她的監護之下。

王后偷覷了一下華陽太后和呂不韋的表情，她心感憤怒，明白秦王在想些什麼，但她依然輕搥著莊王的背說：

「大王，你累了，需要休息一下了。」

「蒙將軍，按秦律，雖宗室公子無軍功不得封，朕這是權宜之計，有機會可讓長安君補立軍功，請你記住了。」

「遵命。」蒙驁回答。

「好吧，你們可以退下了。」秦王疲憊的又躺了下去。

臨眾人退出時，秦王忽然又對嬴政說：

「先王交代一個虎賁軍的小將王翦可用，你們都要記住此人。還有，趙高先父對朕恩德深重，你要他進宮長留在你身邊。」

這句好意的話卻毀了趙高一生，這表示他要去勢，在宮中任職。

4

幾天後，秦王卒，謚號莊襄王，時為莊襄王三年五月丙午。

嫡長子嬴政立，尊王后為楚玉太后，封王弟成蟜為長安君，暫不赴封地，在夏太后宮中撫養。

拜呂不韋為相國，封文信侯，食戶十萬，稱仲父而不名。

蒙驁為右丞相，處理軍國大事。

麃公為大將軍，統帥全國兵馬。

當此時，秦已呑併巴、蜀、漢中等地，南方則多年蠶食楚國，已侵佔楚國原國都郢城以西地區，改置為南郡。

在北方，連年攻擊趙、魏，佔有上郡以東土地，置河東、太原、上黨等三個郡。

東邊領土到達滎陽，滅掉東西二周，改置三川郡。

嬴政即位，年方十三歲，一切政事全委託這些顧命大臣處理。

呂不韋相國如今是宿志得償，大權在握，他也就按照一向的計劃，逐步推動統一天下的行動，他的希望是建立他自己的商業帝國和爲秦統一天下雙管齊下。

在建立自己的商業帝國方面：

首先，他廉價收購秦軍新佔土地。這些土地的居民多半精壯從軍，老弱逃亡，土地荒廢得根本沒人管。等到戰事停止，少部份原主歸來，大部份地主都流離或死在外面，這些田地就變成無主土地。他只需付出些微規費給新設立的地方政府，取得土地所有權，然後撫輯回鄉難民或輕殘傷兵，佃田給他們種，並利用公家撫亡計劃，蓋房子給這些人住，供給他們農具和種子。

這樣一來可說是一舉多得，既安撫了還鄉難民和退役兵卒，也安置了不少無家可歸的流民。田地不會閑置荒廢，很快就能復耕及有收成，最重要的是呂不韋控制了大量土地和糧食。

有人斯有土，有土斯有財，這是呂不韋信奉的古訓，掌握土地不但掌握了財富，而且控制了大家的衣食住行和日常生活。

很多其他富人也隨著效法，土地漸漸集中在少數地主手中，貧窮者只有終身累世爲這些地主耕種，淪爲佃農。

秦國自商鞅變法，廢井田，開阡陌，當時因地廣人稀，任民儘量闢地，按收成取賦，糧食產量大增，因而民富兵強。但經過商人的兼併，平民連年服兵役在外作戰，田地荒廢，賦稅仍重，農人只有賣田繳稅，最後淪爲農奴。再加上軍功封賞，將軍們紛紛求田問舍，更形成土地大量集中，造成富者家財萬貫，而貧者食糟糠之饑。

其次，呂不韋利用權勢和資本，大量控制巴蜀的礦產，利用這些銅鐵製成兵器，除了壯大秦國軍隊外，也間接控制了秦國的兵器工業。

另外，他原有的珠寶、木材、食鹽等生意並未停歇，隨著秦國的擴張，他這方面的生意也日益擴大。

爲秦統一天下方面：

首先，他廣招門客，加以籠絡，到時候再高車駟馬重金，送這些人回到自己國內爲秦遊說，宣揚秦國的政治修明，武力強大，各國要是抵抗，無異以卵擊石，造成秦軍未到軍威已到的聲勢，不戰而屈人之兵，這些人是秦國最好的心理戰、宣傳戰工具。

其次，他加強原有的間諜網，用重金收買各國的權貴顯要，不從，則以暗殺、陷害等手法除去，在這種威脅利誘之下，各國大臣中不少是秦國的內間。

另外，他除了改善軍隊的賞罰制度外，也建立了陣亡傷殘的撫恤制度。壯男在外作戰，家屬無力耕作著，由里社共同代爲耕種，陣亡者蔭賞後人，傷殘者國家養其終身，於是軍隊士氣大振。斬敵一首，得爵一級，本人陣亡，得由後人襲功。因此，作戰時無後顧之憂，斬敵首子孫可以享受，人人爭先殺敵，個個想立戰功。

同時，他也改善了國內的稅賦制度。往常宗室大臣、公侯將相這些擁有大批土地者，常不納賦，或是只象徵性納少許田賦，托詞是收成不好。他改成以田的等級和面積收賦，除了王田以外，任可田地都得繳賦。

另外，他在國內及秦軍佔領區廣設關卡，來往貨物按值抽稅，稅賦收入因之大增。

除此，他更從各國引進技藝工匠，教導人民學習各種手工製品。原先秦國是偏遠小國，手工業一直不發達，富貴人家要用精緻產品，全都得由國外引進，每年用掉不少錢，經過呂不韋的提倡促進，秦國手工業一日千里，幾年以後就能集各國之長，反過來外銷各國，換取了不少收入。

除了這些以外，呂不韋還認爲，魏有信陵君，楚有春申君，趙有平原君，齊有孟嘗君，這些人因爲禮賢下士，門客常達數千人，相互標榜，著書立言，使得這幾位公子賢名傳遍天下。而以秦國之強，他呂不韋之富，豈能落在這些人的後面？這是他和秦國莫大的恥辱。

於是除了那些間諜門客是隨來隨送以外，他另外廣招天下名士異人，予以美衣美食，以及特別的禮遇，聞聲而來的高達三千人。

當時各國多辯士，如荀卿、公孫龍這般人著書立說，傳遍天下。

呂不韋也用重金聘請門客中的飽學善辯之士，人人著其所見所聞，然後再請高士編輯成八覽、六論、十二紀，總共二十餘萬言，內中天地萬物、古今之事，莫不具論。他將這本書命名爲《呂氏春秋》，並高掛在咸陽鬧市街口門上，大宴各國來的游士賓客，有能增損一字者，秦贈黃金千兩。

所謂「八覽」者爲：有始、孝行、愼大、先識、審分、審應、離俗、時君。

「六論」爲：開春、愼行、貴直、不苟、以順、士容。

「十二紀」爲紀十二月，有孟春等十二篇。

在公事上，呂不韋可說志得意滿，一切都準備好了，只等著他親生兒子嬴政統一天下。

但在私事上他的煩惱卻大，因爲自莊襄王去世，年輕守寡的楚玉王太后就不肯放過他。

5

那晚和往常一樣，呂不韋在甘泉宮王太后住處和秦王政討論國事。

按照慣例，呂不韋已將各部大臣的奏章批好，讓秦王政用璽即可，他也會大致解說一下批覆的理由，以使秦王政學習處理政事之道。第二天早朝時，發還奏章，准不准的理由，簡單的由秦王政說幾句，複雜的則由他指定呂不韋說明。

召開御前會議，通常是秦王政坐在主位，會議的進行則全由呂不韋主持，獲得結論時，呂不韋點頭，他就說可，呂不韋搖頭，他就說再議。

秦王政對這種傀儡的滋味非常厭惡，但又無可奈何，呂不韋也看得出他的感受，藉此鼓勵他多用心學習，以便早日親政。

呂不韋不怕政事忙，反而是怕到甘泉宮。照說，在甘泉宮的起居室內教秦王政處理政事，就有如家人團聚，有著燈下課子的溫馨。

但王太后在一旁的親手殷勤服侍，以及她不時投來的誘惑和哀怨眼神，卻使得他不寒而慄。他禁不起這種誘惑，但又怕傷害到兒子，假若他和太后舊情復發，嚴重的後果他承擔不起，但太后似乎不管這麼多。

他為了避嫌，一再建議到秦王住處蘄年宮議事，全都為太后所否決。她的理由是，秦王年幼，國事她不能不操心，而到秦王處，她來去不方便。

今晚議事已畢，秦王政向母親行禮告退，太后卻轉臉向呂不韋說：

「呂相國暫時留下來，哀家對剛才所議的事還有數點疑問。」

「臣遵命。」呂不韋知道留下沒有好事，但他無法推辭。

呂不韋在恭送秦王政上車後，又回到起居室，只見有一名宮女等在那裡，她恭身行禮說：

「相國，太后有請，請隨奴婢來。」

呂不韋一眼就認出這是繡兒，當年他將她買來作爲玉姬的陪嫁婢女。十年之中，玉姬由一個質子的姬妾變成太子妃，再由太子妃變成王后，三年後卻又變成了太后，照年齡算，她只不過卅出頭，叫太后是否眞的太沉重了點？

眼前的繡兒也是從瘦小的女孩，變成豐盈亭亭玉立的婦人，由女婢變成了甘泉宮女總管。

十年滄桑，十年變化眞大！

「總管，妳要帶我到哪裡去？」呂不韋明知故問。

「相國不必著急，跟著我來就是。」繡兒以袖掩口而笑，神情顯得非常神祕。

她帶著他通過層層庭院，經由多道迴廊，最後來到一處花園。只見園子不大，卻佈置得非常精緻奇巧。

一道人工河流環繞整個園子，所到處幾座小木橋橫架河上，半現半掩的出現在兩岸的灌木叢中。河是按照地形挖掘，由高往低，水流甚速，值此夜深人靜，還聽得流水的淙淙聲，幾艘無人畫舫，在繫纜處自橫，隨著水流上下。

小河匯集成一個小人工湖，湖面蓋滿了綠荷，多枝紅蓮伸頭水面，吐出陣陣清香。

繡兒帶著他在兩旁枝葉扶疏的幽徑及迴廊上穿來穿去，時時還上下木橋，園子一眼看上去不大，可是要轉完卻得花很久一段時間。

「相國政事煩忙，很明顯的清瘦了。」繡兒在前面帶路，回過頭來引他說話。

「天氣熱，出汗多，人當然會瘦。」呂不韋隨意回答。

「這是相國操勞國事的結果，」繡兒笑著說：「你看夫人，天氣越熱，她卻越白皙豐滿！」

「她和我不一樣。」呂不韋說，他才想起玉姬最近的確是胖了，不管玉姬變成什麼太后，在他心目中，她永遠是他的玉姬，正如嬴政雖然已登王位，他仍看作是自己的兒子。他在想：「玉姬是發福了，卅歲的女人，終日吃喝玩樂，無所事事，想不胖也難！還好，她沒胖到令人討厭的地步，而是變得更有女人魅力。」

呂不韋喜歡白胖高的女人，但他將胖女人分成三種類型：胖得可愛，胖得討厭，胖得嚇人。

還好，玉姬現在是在胖得可愛的階段。

初聞要他到寢宮，他確實有點害怕，有道德和實際上的雙重顧忌。不過，如今越接近她的住處，他卻覺得心上那股遐思綺念越燃越旺。

子楚已去世，何況玉姬本來就是他的，如今只不過是收回舊物而已。更何況嬴政本來應該姓呂，他是他的兒子，這在道德上不應該有什麼遺憾。

就實際來說，他到甘泉宮和太后、秦王議事，乃是眾所周知的，他沒有任何顧忌。再說寢宮內的女官，幾乎全是知道他和太后關係的舊人，玉姬沒有把握，不會明目張膽的要繡兒帶他前去。

一想到這些，他的膽子更大，相對的那股綺念更為熾熱。他眼看著月光下繡兒扭動的渾圓臀部，以調笑的口氣問：

「太后一向作何消遣？」

「賞花啊，遊園啊，下棋撫琴啊，還有無聊時罵罵人消磨時間啊！」繡兒一連串幾個啊字，說得她自己也覺好笑，忍不住輕笑出聲。

「我是說太后用什麼來打發悠悠長夜？」

此情此景，他不再想到自己是相國，而回復到昔日和侍女們打情罵俏的呂不韋。

「哦，」繡兒停住腳步，轉過身來神祕的放低聲音說：「用你送她的禮物，拿我和湘兒來消遣！」

呂不韋先是一呆，接著哈哈笑起來。

「相國，小聲點，前面就到太后的寢宮了。」

參天的闊葉樹蔭中，露出黑色小樓的一角，樹的枝葉在夜風中起舞，影子在月光下跳動，不到近前，這棟雕欄玉砌的小石樓，眞還不容易發現到。

「相國請自己上樓，奴婢不再帶路了。」繡兒指著一排玉石台階說。

6

呂不韋上得樓來，卻見不到一個人，他順著樓四周的迴廊轉了一圈，發覺到整個樓都是用黑綠相間的大理石所砌成，配著白色的大理石柱，黑白相間。銀白色的月光，由樹的枝葉間隙中穿進來，在黑色的壁上灑上美麗的圖案，枝葉因夜風跳動，圖案也隨著婆娑起舞，使人有種進入虛幻仙境的感覺。

迴廊地板是用一塊塊的紫檀木拼湊而成，下面墊襯著厚薄不等的銅片，人走在上面，隨著腳步的輕重，會發出叮噹悅耳的音樂。

耳中的樂音，眼前的幻境，呂不韋不再覺得自己仍在人間。

他四周巡視，找不到任何人影，他信手推開一扇雕刻著百鳥朝鳳圖案的門，只覺一陣昏眩，室內竟是這樣亮，室外卻一點看不出來。

「不韋，我在這裡。」是玉姬的聲音，依然那樣甜膩，引動男人慾望的那種甜膩。

他和玉姬都喜歡光亮，看樣子雖然她已變成了太后，這個舊習仍然未變。

室內和室外恰是兩個相反的天地和氣氛，天花板、地板、四面牆壁和隔間，全都是厚實的桃心紅木，無數盞的水晶燈台，懸掛、嵌鑲在天花板和牆上，所發射出來的光曲折反映，室內一片彩色的光明。

室中間圍著兩片屏風，玉姬的聲音就由屏風中發出。

「妳怎麼知道是我？」呂不韋接近屏風，撲鼻而來的是那股玉蘭香花味，她慣於將這種花陰乾後再用來洗澡，用這種花製成的香料熏衣，這種香味以前是他最熟悉的。

「聽迴廊上的腳步聲就知道了，侍女們沒有誰敢走得發出樂音的。」

「哦，這種設置還有防盜作用？」呂不韋調侃的說，他彷佛回到從前，自覺又年輕了十幾歲。

「防盜？太后宮中還要防什麼盜？繡兒、湘兒和我，可以在上面跳出樂曲來，哪天有機會我可以跳一曲『百鳥朝鳳』給你聽。」

「怎麼在樓上我沒見著一個人？」呂不韋懷疑的問。

「這樓只有湘兒和繡兒可以上來，而今晚我將她們都打發走了。」她曖昧的笑著。

「都打發走了，誰來服侍妳？」他隨口問。

「當然是你啊！」

「我，伺候妳？」呂不韋聲音中有點憤怒。

「你，當然是你，別忘了我是太后！」

「太后？那臣告退了，這裡不太方便議事。」呂不韋半真半假的說。

「怦」的一聲，一面屏風倒了，太后從玉砌成的浴池中跳出來，全身赤裸裸的，身上還冒著熱氣。

浴池中是溫泉，硫磺水是從後山引來。

她柳眉倒豎的瞪著眼睛，但在呂不韋眼中，只有更增加她的嫵媚。她的臉雖胖了些，身材卻依然那樣結實，看不到一點贅肉，兩乳挺拔，大腿渾圓，小腿修長均勻，肥瘦恰到好處。

「你敢走？」她帶點惡毒意味的笑了：「不要忘記我是太后，違背我的旨意，你會有什麼後果？」

「太后和相國不該在這種情況下見面的。」他少許無奈的說。

「我要不是太后，能喊得動你來麼？」她諷刺的說。

「來，伺候我，先幫我擦背！」

「是，微臣遵命。」

他先將屏風扶起，正想再圍好時，玉姬又將另一扇屏風推倒了。她媚笑著說：

「這裡只有我們兩個人，要這東西幹嘛！圍起來反覺氣悶。」

說到氣悶，他發覺到這幢石樓除了雕刻精緻，設計得更爲巧妙。這間大浴室，四周看不見窗戶，六月三伏天，卻清涼沁人，一點都不悶熱，跟外面是完全兩個世界。

他從來只有女人幫他擦背，今天幫女人擦背，雖然感到有點委屈，但也別有一番滋味。

他胡亂的幫她擦了幾下，然後她站出浴池來，他又用大塊浴巾幫她全身擦乾，有點氣喘的說：

「該好了吧？」

「你還沒服侍夠，想想以前我是怎樣服侍你的。」

她俯躺上浴池邊一張軟榻，嬌聲喊著：

「相國，來幫我按摩，鬆鬆筋骨。」

他實在有點忍不住，但仍帶笑的說：

「假若我現在就走呢？」

「……」

「別看樓上無人，只要我一拉叫人鈴，就有好幾個侍女會上來。」

「她們攔不住我的！」他眞生氣了。

「我一拉警鐘，我親手訓練的女侍衛就會包圍住這座石樓，你一出門就變成刺蝟。」她笑著說。

「還有一個假若，你要不要試試？」他兩手放上她雪白長短適宜的頸子。

她閉上眼睛，格格的笑起來：

「相信你不敢，也捨不得！」

「唉，」他不得不認輸：「太后，要臣怎麼幫你按？」

「照以前我幫你按的按法即可！」她的語氣眞還帶著威嚴，隨即她又轉過臉來笑了。

他這輩子從未幫人按摩過，尤其是女人，但他驚奇的發現到，用力按揑女人，比輕柔撫摸女人的味道更好。他帶點報復意味的使出手力來按，她反而閉著眼睛，呻吟著要再重一些。

「這間屋子不錯，我累了這半天才有點感到熱。」他想用轉變話題來按捺自己的怒火。

「整棟樓都有夾層和通風設備，夾層中放置有冰塊，當然室外盛夏，室內卻有如深秋了。」

大夫以上的伐冰之家，冬天採冰埋在地窖，夏天用來冰凍死人，一般只作防腐臭之用，想不到設計這棟樓的人卻想到用在這上面，值得仿效。

「這座樓的設計眞是巧奪天工！」呂不韋讚嘆：「不知是誰？」

「趙國的一名巧匠，在作戰時被俘來秦，可惜前幾年去世了。不要說這些，既然已經流汗，爲什麼不將衣服脫下來？」

「脫衣服？有人上來怎麼辦？」他口裡如此問著，手上習慣性的在脫著，哪一次兩人單獨相處，他最後不都是脫光了衣服。

「來，相國，服侍哀家！」她翻過身來仰躺著。

他看著她依然緊繃、曲線玲瓏的胴體，慾火上焚，頭腦一片空白。

他正想爬上軟榻時，她用手阻止了他。

他驚疑的看著她，她詭異的笑著說：

「相國，用玉姬服侍你的方式服侍太后。」

「臣該怎麼服侍？臣和玉姬到底是不同類，她是女，臣是男！」

「用手，用嘴，用鼻，用你凡是可以使我興奮的地方……」

7

秦王政立位後，因爲年幼，一切國事盡委託幾個顧命大臣處理，其中尤以位居中樞的呂不韋相國獨攬大權，蒙驁等人則在外統兵作戰。

呂不韋的戰略構想是：秦國一向採擴張政策，已被諸侯各國視爲公敵。若不對各國加緊攻伐，各個擊破，等到它們生聚教訓，國力恢復，再聯合一致對秦，秦國絕對難以抵擋。所以應該趁各國全都疲憊，對秦軍事力量感到恐懼之時，一鼓作氣，向統一天下的政略目標邁進。

因此，除了加強情報戰、宣傳戰，收買各國權貴大臣，實施不戰而屈人之兵的心理戰、統戰以外，在解決兵源、軍費和後勤補給方面，他也採取了幾項重要措施。

第一是他的難民俘虜政策。以往秦國攻佔城市或一個地區後，採取的政策是撫輯流亡，俘虜還鄉，讓佔領區民眾儘快安頓下來，種植糧食，部份供應軍隊需要。但後來發現到佔領區民眾敵意太深，常常是今天歸順，明天就起來造反，造成秦軍後方的威脅，往往不得不分軍平亂，使得軍隊顧前又要顧後，疲於奔命。

呂不韋的新政策是：儘量將老弱傷殘趕向敵國，造成它的經濟負擔和社會混亂，而將精壯編入秦軍部隊，在秦國士兵的監督下作攻堅等傷亡較大的作戰。頑固分子藉作戰消滅，敵人殺一個敵人，等於秦軍殺兩個。眞正歸順的人，照秦人待遇，論功行賞。

到後來，秦軍裡出現大量的客軍部隊，這些客軍除了重要幹部是秦人外，大部份的組成分子是佔領區本地人或該國的戰俘所組成。為了安全起見，秦軍統帥常是用趙人客軍攻楚，楚人客軍攻韓等等方式，使得客軍深入敵境異國，不再有貳志，成為置之死地而後生的驍勇部隊。

呂不韋得意的向眾大臣說，他這個政策是以天下之兵取天下，而不再是以秦一國之力敵天下。

第二是他的屯田和糧食政策。最初，秦軍補給線短的時候，軍隊所需糧食和後勤補給，全由國內供應。但隨著秦軍的佔領區擴張，補給線也逐漸拉長，於是採用「因糧於敵」的策略，在戰區內就地徵發。

可是到了後來，各國對秦軍採取「堅壁清野」策略，撤退時，開放糧倉，鼓勵逃難民眾自帶，帶不完的則一把火燒光，常弄得秦軍臨時無糧可以搜刮，造成軍糧不繼的危機。

呂不韋的新政策是：將敵國傷殘老弱儘量趕向敵國，節省糧食消費；秦軍輕度傷殘及老弱，不堪再作戰者則分田令其耕種，依收成繳賦；敵國原有貴族、地主及思想頑固分子，不能納入秦軍作戰部隊者，組成農耕隊，在地方官員的鞭策下耕種，除食用所需外，全部繳公；佔領區整補或休養備戰的秦軍部隊，除必要的操練外，餘暇一律參加耕種，收成除自給外，餘糧由公家收買，有功者按功行賞，與戰功同，懈怠者受罰，與作戰不力者同。

這樣一來，佔領區糧食產量大增，而又少了老弱傷殘的消耗，形成食之者寡，生之者眾的豐裕現象。

另外，呂不韋也下令在各兵要地點設置穀倉及軍需站，大量囤積糧食和軍需品，以備民間不時之需及日常軍用補給，並修築糧道，加強軍需補給的安全和便利。

他就此也常對眾大臣誇口，後勤補給問題解決，秦軍可行長期作戰，就如魚可在水中常游，不像以往，為了補給線拉長受到敵軍擾亂，秦軍常需停戰後撤。

第三是他的地方組織政策。在以往，秦軍每攻佔一個地方，常是籠絡原有的分封貴族或地方勢力，就本來的行政體系治理佔領區民眾。

但後來發現，這樣雖然可以達到很快恢復佔領區社會秩序的效果，可是過不久，帶領佔領區民眾造反的還是這些人。他們率領民間武力，騷擾秦軍後方，攻擊秦軍的補給線，甚至公然打起反正的旗幟，和本國軍隊裡應外合，攻擊秦軍，常使得秦軍陷入進退不得、前後受敵的困境。

呂不韋的新策略是：秦軍每佔領一處城市或地區，首先打散地方原有的行政組織，而徹底以秦的行政制度取代，原有統治階層全部收作俘虜。將官吏職位分開，行政官員由佔領軍臨時派人兼任，情勢穩定後即由秦中央派員接替。吏則由原來地方人士擔任，儘量保持職位不變。吏做事，官掌權，職權劃分得非常清楚。

佔領區小則設縣，佔有數縣後則設郡，縣設縣令或縣長，及掌管軍事、緝盜等的縣尉。郡則置郡守、郡尉，及監督政務，直接向中央報告地方情況的郡監。

開始時，派出去的官員多半是秦人，後來佔領地區日漸擴大，秦官已不夠分配，同時地方敵意太深，容易遇到民眾的反抗。於是呂不韋想到用客卿的策略。

秦軍在準備攻某國某地之前，秦國先訓練好一批該地區鄰近國或鄰地區的親秦人士，等到該城或該地區攻下以後，這批人就派往該地接收政權。這些人和當地人的語言相近，風俗習慣相似，比較容易為佔領區人民接受。但又因非本地人，沒有人情阻力，可以鐵面無私，嚴格執行秦中央的法令。同時，他們完全是靠秦軍支持，所以絕不會帶領民眾背叛秦國。

這樣一來，佔領區逐漸秦化，最後完全與祖國脫離，安心成為秦民。

呂不韋稱之為「逐步徹底消化」政策。

在這三種策略聯合實施之下，以往佔領區反來反去的情形逐漸減少，秦軍少了後顧之憂，專心一意征伐，竭力擴張疆土。

8

秦王政元年，晉陽反，將軍蒙驁率兵平定。

二年，麃公率軍攻魏之卷城，斬首三萬。

三年，蒙驁攻韓，取十三城。將軍王齮老死。十月，將軍蒙驁攻魏時城、有詭，歲鬧大饑荒。

四年，秦軍攻佔時城、有詭。該年三月，秦軍撤軍。十月，蝗蟲從東方來，遮天蔽日，天下瘟疫流行。秦王下令，百姓獻粟千斤者，拜爵一級。

按秦制，非戰功不能得爵，戰時殺敵，以首級論功，斬敵一首，賜爵一級，欲爲官者加俸五十石。其爵名爲第一級公士，第二級上造，第三級簪裊，第四級不更，第五級大夫，第六級官大夫，第七級公大夫，第八級公乘，第九級五大夫，第十級左庶長，第十一級右庶長，第十二級左更，第十三級中更，第十四級右更，第十五級少上造，第十六級大上造，第十七級駟車庶長，第十八級大庶長，第十九級關內侯，第廿級徹侯。

但因饑荒，秦首開以爵買糧之先例。

五年，蒙驁攻魏，佔領酸棗、燕城、虛城、長平、雍丘、山陽等二十餘城，設爲東郡。

該年冬天有雷，不祥，主有刀兵。

六年，韓、魏、趙、衛、楚五國聯軍擊秦，攻佔壽陵，秦出兵，五國聯軍不戰退，攻滅衛國。衛國國君率從人逃至野王，防守山區要點，以保衛魏國的河內地區。

七年，彗星先出現在東方，緊接又出現在北方，五月西方又見彗星。將軍蒙驁死軍中。裨將率軍回國，轉攻龍城、孤城、慶都及汲城等地。彗星復出西方。

這幾年中，秦軍在外攻城略地，重要將領王齮、蒙驁接連去世，在國內，更醞釀著一場驚天動地的變故。

〔請繼續閱讀第二部・龍戰於野之卷〕

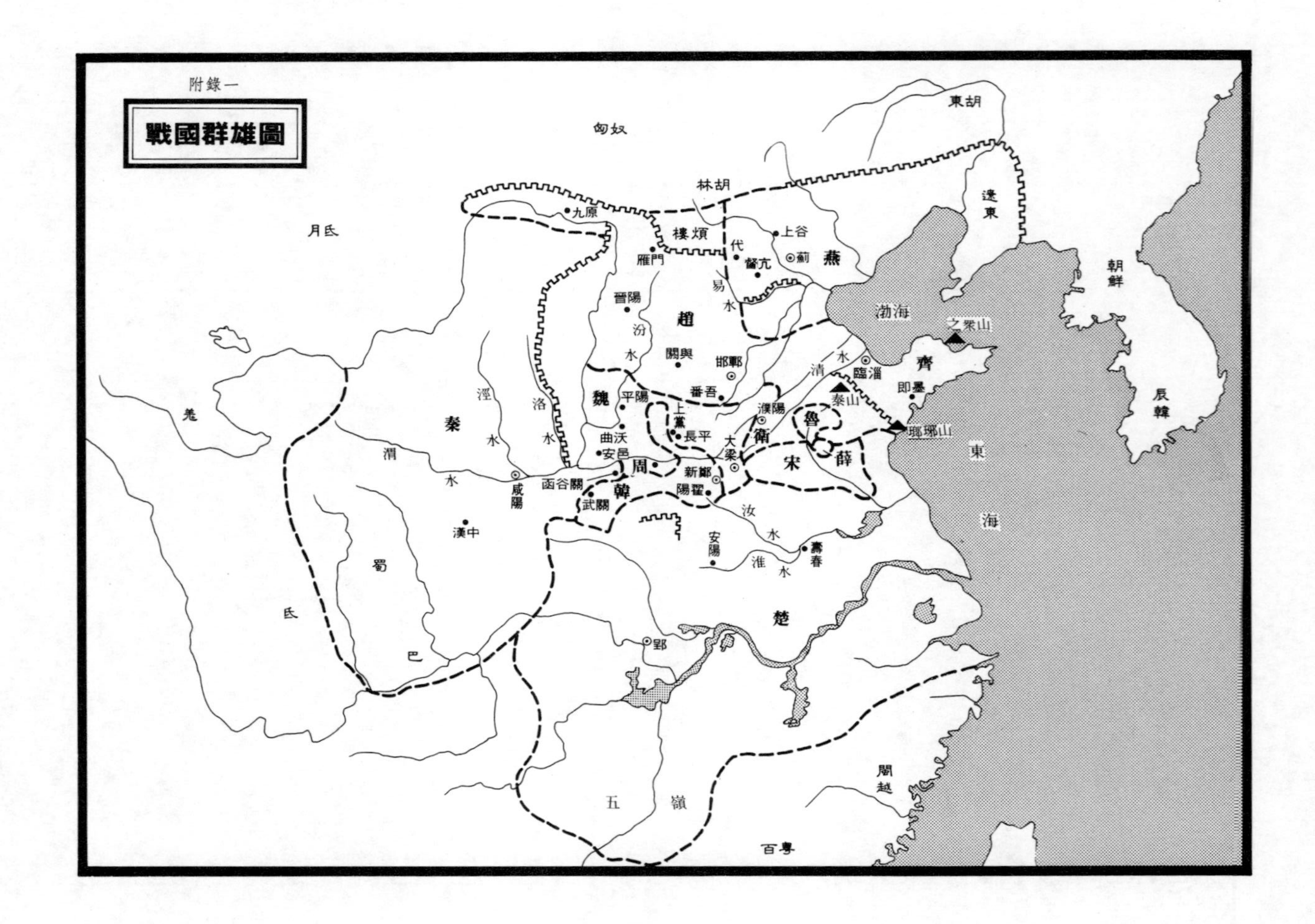
附錄一
戰國群雄圖
匈奴
東胡
林胡
月氏
九原
樓煩
雁門
上谷
代
督亢
薊
燕
易水
晉陽
趙
汾水
閼與
邯鄲
番吾
渤海
之罘山
朝鮮
遼東
齊
臨淄
清水
即墨
泰山
瑯琊山
辰韓
東海
羌
秦
涇水
洛水
魏
平陽
上黨
長平
曲沃
安邑
濮陽
衛
大梁
魯
宋
薛
渭水
咸陽
函谷關
周
新鄭
陽翟
韓
武關
汝水
漢中
安陽
淮水
壽春
蜀
楚
氐
巴
郢
五嶺
閩越
百粵

秦代郡守圖

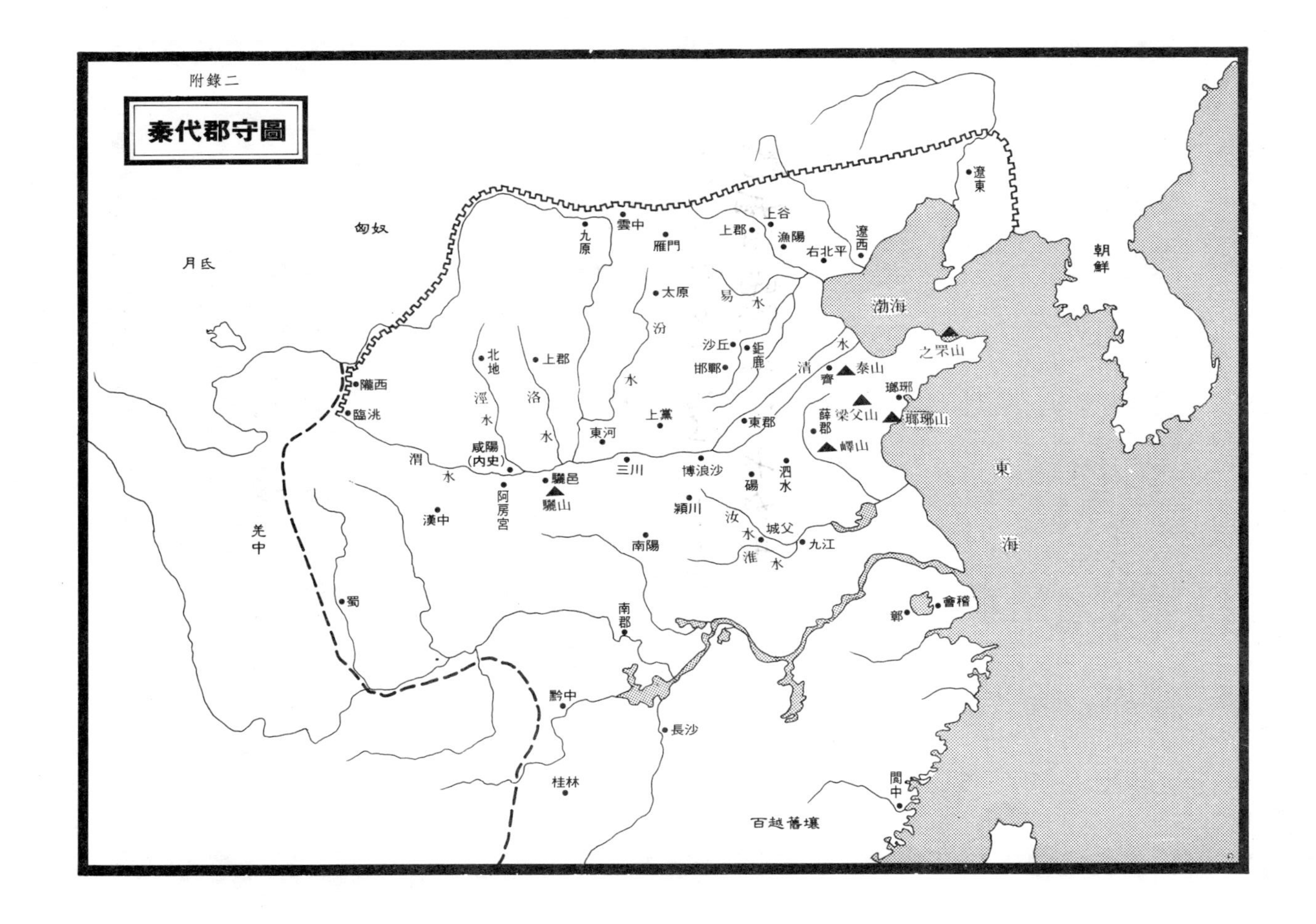
匈奴
月氏
羌中
隴西
臨洮
北地
上郡
九原
雲中
雁門
上郡
上谷
漁陽
右北平
遼西
遼東
朝鮮
太原
易水
汾水
沙丘
鉅鹿
邯鄲
渤海
之罘山
清水
齊
泰山
瑯琊
薛郡
梁父山
瑯琊山
嶧山
涇水
洛水
渭水
咸陽
(内史)
阿房宮
驪邑
驪山
東河
上黨
東郡
三川
博浪沙
碭
泗水
潁川
汝水
城父
九江
淮水
南陽
漢中
蜀
南郡
黔中
長沙
桂林
會稽
郭
閩中
百越舊壤
東海

國立中央圖書館出版品預行編目資料

秦始皇大傳／李約著，--初版，--臺北市；
實學社出版：吳氏總經銷，84
册；　公分--(小說人物；1-5)
ISBN 957-9175-01-2(--套；平裝)
ISBN 957-9175-07-1(一套；精裝)

857.7　　　　84000813

2003.6.25. PM:12:00.
阅畢天母家中。

小說人物叢書

❶ 秦始皇大傳	❶潛龍在田之卷	李約／著	250元（平裝）
❷ 秦始皇大傳	❷龍戰於野之卷	李約／著	250元（平裝）
❸ 秦始皇大傳	❸龍騰四海之卷	李約／著	250元（平裝）
❹ 秦始皇大傳	❹飛龍在天之卷	李約／著	250元（平裝）
❺ 秦始皇大傳	❺亢龍有悔之卷	李約／著	250元（平裝）
❻ 天空之舟（上）	小說伊尹	宮城谷昌光／著	東正德／譯
❼ 天空之舟（下）	小說伊尹	宮城谷昌光／著	東正德／譯
❽ 夏姬春秋（上）		宮城谷昌光／著	孫智齡／譯
❾ 夏姬春秋（下）		宮城谷昌光／著	孫智齡／譯
❿ 沈默之王		宮城谷昌光／著	張明生／譯
⓫ 王家風日		宮城谷昌光／著	李幸紋／譯

＊本書目所列的定價如與書內版權頁不符，以版權頁爲準＊